Monika Rebitzki

Hausaufgaben –
kein Job für Mama

ohne Stress zu Hause lernen

Text auf Seite 54: mit freundlicher Genehmigung von Ulrich Trautwein,
Max-Planck-Institut für Bildungsforschung, Berlin – Quelle:
Trautwein, U. / Köller, O. / Baumert, J.: Lieber oft als viel: Hausaufgaben und die Entwicklung
von Leistung und Interesse im Mathematik-Unterricht der 7. Jahrgangsstufe.
Zeitschrift für Pädagogik 47/2001, 703-724

Die in diesem Werk angegebenen Internetadressen haben wir überprüft (Redaktionsschluss
31. 5. 2002). Dennoch können wir nicht ausschließen, dass unter einer solchen Adresse inzwischen
ein ganz anderer Inhalt angeboten wird.

 http://www.cornelsen.de

Gedruckt auf chlorfrei gebleichtem Papier
ohne Dioxinbelastung der Gewässer.

Die Deutsche Bibliothek – CIP-Einheitsaufnahme

Rebitzki, Monika:
Hausaufgaben – kein Job für Mama : ohne Stress zu Hause lernen / Monika
Rebitzki. - Berlin : Cornelsen Scriptor, 2002
(Cornelsen Eltern-Sprechstunde)
ISBN 3-589-21568-2

5.	4.	3.	2.	1.	Die letzten Ziffern bezeichnen
06	05	04	03	02	Zahl und Jahr der Auflage.

Konzeption und Redaktion: lüra – Klemt & Mues GbR, Wuppertal
Typografisches Konzept: Magdalene Krumbeck, Wuppertal
Umschlaggestaltung: Magdalene Krumbeck, Wuppertal
Fotos: Regina Bermes, Köln / Manfred Görgens, Wuppertal (S.87)
Satz: stallmeister publishing, Wuppertal
Druck und Bindearbeiten: Clausen & Bosse, Leck
Printed in Germany
ISBN 3-589-21568-2
Bestellnummer 215682

Vorwort

Hausaufgaben müssen gemacht werden, daran ist nicht zu rütteln. Doch die Versuche, dem eigenen Nachwuchs die Notwendigkeit dieser täglichen Pflicht nahe zu bringen, enden in vielen Familien in einem Teufelkreis mit Streit und Tränen. Dabei wollen Eltern ihrem Kind doch nur helfen, wieder Freude am Lernen und an der Schule zu gewinnen.

Entgehen Sie der Hausaufgabenfalle. Finden Sie heraus, warum Ihr Kind sich mit den Hausaufgaben so schwer tut und wie Sie es sinnvoll dabei unterstützen können. Dieses Buch hilft Ihnen dabei mit praxisnahen Tipps und Hintergrundinformationen. Sie erfahren, wann und warum welche Hausaufgaben hilfreich sind, und welche nicht sinnvoll sind. Und warum die Hilfe der Eltern nicht immer wirklich hilfreich ist.

Gewusst wie: Es ist gar nicht so schwer, Kinder altersgerecht bei den Hausaufgaben zu unterstützen.

Wie alle Bände der Cornelsen Eltern-Sprechstunde kommt auch dieser Band schnell zur Sache. Sie finden die wichtigsten Informationen, anschaulich erklärt und auf den Punkt gebracht. In alle Bände fließt neben der Erfahrung von Eltern auch die von Lehrkräften ein: Sie erfahren, welche Lösungen bei Problemen im schulischen Alltag vernünftig sein könnten und wie man sie durchsetzt. Im Alltag erprobte Anregungen helfen Ihnen, für Ihr Kind eine förderliche Umgebung zu schaffen, in der es seine Fähigkeiten und Begabungen optimal entwickeln kann.

Im Serviceteil finden sich Informationen für Eltern in Österreich und in der deutschsprachigen Schweiz.

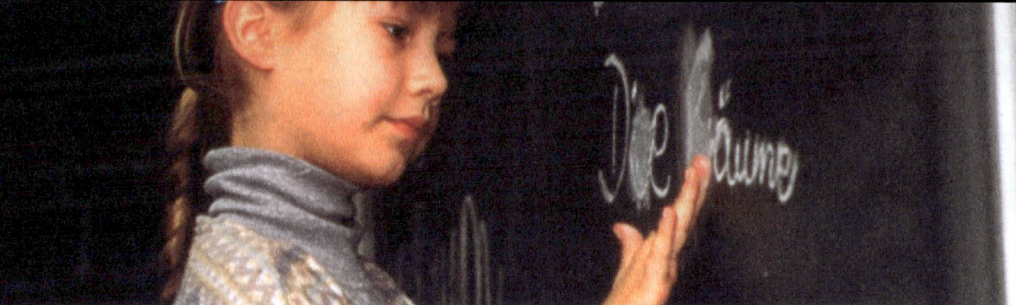

Inhalt

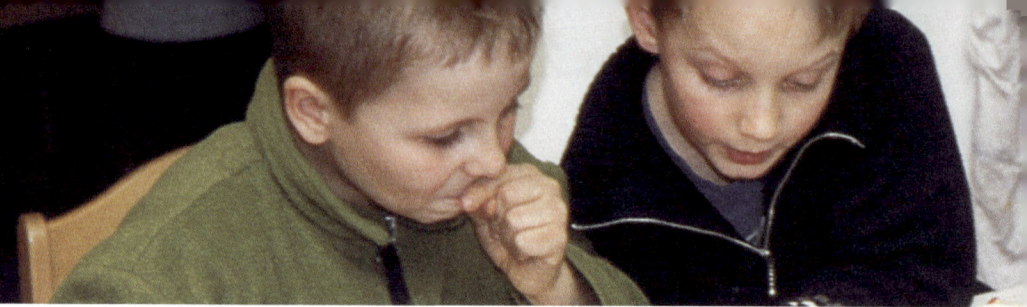

Hausaufgaben – eine Einbahnstraße?

Hausaufgaben bilden eine feste Verbindung zwischen Elternhaus und Schule. Sie wirken in den Familienalltag hinein und wieder zurück in die Schule, in die Klasse. Nachmittags müssen die Kinder Zeit dafür einplanen. Und auch in der Schule muss Zeit für Hausaufgaben eingeplant werden. Einerseits müssen die Aufträge für alle klar und verständlich besprochen werden, andererseits müssen die Ergebnisse gewürdigt werden. Beides braucht Zeit. Zu Hause erarbeitete Kenntnisse können den Unterricht bereichern. Unzuverlässigkeit bei der Erledigung von Hausaufgaben behindert jedoch das gemeinsame Lernen und sie stört das Klassenklima. Eine gute Zusammenarbeit zwischen Eltern und Schule muss also allen Beteiligten gleichermaßen am Herzen liegen.

Hausaufgaben tragen Spaß und Anregung, oft aber auch Ärger ins Haus.

Vielleicht möchten Sie sich umfassend über das Thema Hausaufgaben informieren, vielleicht kennen Sie in Ihrem Alltag aber auch die besonderen Probleme, die man damit haben kann. Wie Sie Ihre Kinder bei den Hausaufgaben so unterstützen können, dass diese ihre Motivation und damit die Lernentwicklung fördern, darum geht es in diesem Ratgeber.

Tappen Sie nicht in die Hausaufgabenfalle

Gleichgültig, ob ein Kind oder ein Heranwachsender zu Hause, im Hort oder mit außerschulischer Hilfe lernt, Ihre Unterstützung ist hilfreich. Helfen Sie dabei, den richtigen Zeitpunkt für die Erledigung der Hausaufgaben zu finden. Ihr besonderes Augenmerk sollte auf die Gestaltung des Arbeitsplatzes gerichtet sein. Zu viel Hilfe und Fürsorge kann jedoch durchaus eher schaden als nützen, dann schnappt die „Hausaufgabenfalle" zu. Insbesondere Eltern von Schulanfängern sollten vor ihr auf der Hut sein, denn diese Falle schnappt vorzugsweise dann zu, wenn das erste Kind eingeschult wird, wenn alles noch neu ist und Eltern sich plötzlich ausgeschlossen fühlen von dem, was ihr Kind vormittags erlebt. Sie sind neugierig und ängstlich zugleich, ob und wie ihr Kind allein in der Schule zurechtkommt. Doch

Die berühmte Pädagogin Maria Montessori hatte eine sehr eigene Vorstellung von den Zielen, die jede Erziehung haben soll: „Hilf mir, es selbst zu tun."

die Berichte, die Erstklässler über ihren Schulalltag geben, sind meist wenig erhellend. Oft sind Eltern dann richtiggehend froh, bei den Hausaufgaben „kontrollieren" zu können, was in der Schule gespielt wird. Manchmal spielen sie auch selbst gern ein bisschen „Schule". Das kann leicht schief gehen.

Nicht immer haben die Eltern den schwarzen Peter. Unklare oder fehlende Absprachen zwischen Lehrkräften und Eltern, zu viele und schlecht vorbereitete Hausaufgaben oder einfach nur der Rat des Lehrers oder der Lehrerin, zu Hause mehr mit dem Kind zu üben, das alles kann den häuslichen Frieden nachhaltig gefährden. Wie Sie die Hausaufgabenfalle meiden oder wie Sie sich wieder aus ihr befreien können, wenn Sie bereits hineingetappt sind, das wird in diesem Buch ausführlich beschrieben.

Eigenen Kindern gegenüber zeigt man oft weniger Geduld als fremden, wenn es um die Erledigung von Pflichten geht, zu denen auch die Hausaufgaben zählen. Man kennt sich zu gut und manchmal verrennt man sich in einem Teufelskreis unguter Verhaltensweisen, die an den Nerven aller zerren. Die Verantwortung wirklich abzugeben bzw. anzunehmen, das fällt beiden Seiten nicht immer leicht. Sie erfahren hier, welche Auswege es gibt und wie Sie diesen Teufelskreis durchbrechen können.

Tipp

Kinder brauchen Eltern, die sich für ihre Schularbeiten interessieren und die sie dabei unterstützen, diese selbstständig zu erledigen.

Wenn Hausaufgaben zur Krise führen

Trotz aller guten Vorsätze sind Probleme nicht zu vermeiden. Aufgetretene Lernlücken, aber auch individuelle Krisen durch familiäre Veränderungen, eine Krankheit, die Trennung von Freund oder Freundin oder etwa vorhandene Teilleistungsprobleme können die Erledigung der Hausaufgaben beeinträchtigen. Häufig kommen mehrere Schwierigkeiten zusammen oder eine zieht die andere nach sich. Es vergeht meist einige Zeit, bis Sie verstehen, was die Situation belastet oder was sich vielleicht nunmehr geändert hat. Lernunwillen bis hin zur Leistungsverweigerung gibt es sowohl bei Grundschulkindern als auch bei Heranwachsenden. Mit einem „Löffelchen Schulerfolg" als Gegenmittel ist es nicht getan. Ein Schnitt ist fällig, umfassender Rat gefragt: Welche Gegenstrategie kann helfen? Nur selten reicht *eine* Maßnahme allein.

Die Schulanfangsphase, der Schulwechsel und die Pubertät sind besonders kritische Zeiten, in denen Eltern mit Schwierigkeiten rechnen müssen.

Warum eigentlich Hausaufgaben?

Sie fragen sich bisweilen, welchen Sinn Hausaufgaben überhaupt haben? In diesem Band finden Sie pädagogische Hintergrundinformationen und, in aller Kürze, Ergebnisse wissenschaftlicher Untersuchungen zum Thema Hausaufgaben.

Wenn Sie das tägliche Pensum auf dem Schreibtisch Ihres Kindes sehen, dann sind Sie sicher hin und wieder erstaunt über die Menge des Aufgegebenen und den Zeitaufwand, der zur Erledigung notwendig ist. Sie erfahren in diesem Buch etwas über den pädagogischen Sinn oder Unsinn von bestimmten Aufgabenstellungen und Arbeitsaufträgen. Auch die Frage nach einer differenzierten Förderung findet Beachtung.

Tipp

In pädagogischen Zeitschriften und auf Elternversammlungen lässt sich trefflich und heftig über das Für und Wider von Hausaufgaben streiten. Das hilft Ihnen nicht bei Ihren akuten Problemen mit den Hausaufgaben Ihrer Kinder. Aber es trägt dazu bei, ein wenig Abstand von Ihrer persönlichen Situation zu bekommen und gelassen damit umgehen zu können.

Absprachen machen das Leben leichter

Eine Zusammenarbeit zwischen Ihnen und der Schule ist unerlässlich. Viele Hausaufgabenprobleme können und sollen Sie nicht nur und allein zu Hause lösen. Was die Lehrerin, der Lehrer für zu Hause aufgibt, die Hausaufgaben, wird zu Hause als Schularbeit für die Schule erledigt. Manche Hausaufgabenprobleme, die Ihnen zu Hause das Leben schwer machen, lassen sich nur lösen, wenn es zwischen Ihnen, den Eltern, den Schülern und den Lehrern klare und gute Absprachen gibt. Es kommt darauf an, dass Hausaufgaben den Unterricht sinnvoll ergänzen – auch auf das einzelne Kind bezogen. Das setzt auch Kompetenzen bei Lehrkräften sowie eine gute Zusammenarbeit zwischen Schule und Eltern voraus.

Gut zu wissen ...

Im letzten Kapitel finden Sie Regelungen der 16 Bundesländer. Sie können nachschauen, was in Ihrem Land geregelt ist und wo Sie die Regelungen finden. In diesem Abschnitt finden Sie außerdem eine Reihe von Fragen, die sich Eltern im Zusammenhang mit Hausaufgaben immer wieder stellen, etwa die, ob Hausaufgaben über die Ferien aufgegeben werden dürfen.

Mit Ihrem neuen Wissen werden Hausaufgaben bald kein Thema mehr bei Ihnen zu Hause sein – zumindest kein unangenehmes.

◀ Hausaufgaben ergänzen das schulische Lernen.

Was hilft bei den Hausaufgaben?

Die Hausaufgaben und später auch die Klassenarbeiten sind die wesentlichen Quellen für Eltern, aus denen sich ihr Wissen über die schulische Entwicklung ihres Kindes speist. Die Einschulung empfinden Eltern immer auch als Prüfstein für ihre vorhergehenden Erziehungsbemühungen. Eltern von Schulanfängern verfolgen sehr gespannt, wie ihr Kind in der Schule zurechtkommt. Ähnlich intensiv steht ein Kind im Blickpunkt, das einen Schulwechsel zu bewältigen hat. Ihr Kind braucht Ihr offenes Interesse bei der Umstellung auf sein neues Leben in und mit der Schule. Sie helfen ihm, Sicherheit im Umgang mit der neuen Situation zu gewinnen. Das geht am besten, wenn Sie offen und sicher sind.

> **Ihr Kind muss sich angenommen fühlen, auch wenn nicht alles so klappt, wie es selbst und Sie es sich wünschen.**

Entlasten Sie sich und Ihr Kind

Wenn alles, was Sie mitbekommen, Ihren Erwartungen entspricht, können Sie gelassen mit der alltäglichen weiteren Förderung umgehen. Wenn Sie etwas beunruhigt, ist es schwer, dem Kind diese Gefühle nicht als zusätzliche Last aufzubürden. Es merkt ja selbst, wenn es etwas nicht so gut schafft und spürt dann zusätzlich noch die Enttäuschung oder gar den Ärger der Eltern. Das zusammen wiegt doppelt schwer. Bei Heranwachsenden in der Pubertät ist ein erwachsener Gesprächspartner für Sie in doppelter Hinsicht wichtig: um den Jugendlichen zu entlasten und um Ihre eigenen Sorgen loszuwerden. Suchen Sie sich einen erwachsenen Gesprächspartner, Ihren Mann oder Ihre Frau, eine Freundin oder einen Freund, wenn Sie sich Sorgen machen. Behalten Sie die Hausaufgaben Ihrer Tochter oder Ihres Sohnes im Blick. Aber teilen Sie Ihre Beobachtungen und Sorgen mit Ihrem erwachsenen Gesprächspartner oder Ihrer Partnerin, damit Sie geduldiger beobachten können, ob es sich nur um Anfangs- und Eingewöhnungsschwierigkeiten handelt, ob Sie weiteren Rat brauchen oder ob Sie einfach nur etwas Neues an der Persönlichkeit Ihres Kindes entdecken, das Sie akzeptieren müssen.

Durch Hausaufgaben entdecken Sie neue Seiten an Ihrem Kind – erfreuliche und weniger willkommene. Sie sollten lernen, sie richtig wahrzunehmen und zu beurteilen.

Am konkretesten sind Ihre Erfahrungen mit den Hausaufgaben, wenn Sie sie nachmittags selbst betreuen. Für Eltern von Hortkindern folgen anschließend gesonderte Hinweise. Beim Start Ihrer Kinder in der Grundschulzeit stellen Sie Weichen für das erfolgreiche, selbstständige Lernen zu Hause. Diejenigen unter Ihnen, die bereits eine Reihe von Schuljahren mit ihren Kindern erlebt haben, finden jetzt vielleicht Bestätigung ihrer Anfangsbemühungen oder Hinweise, wie es besser hätte laufen können.

Die Hausaufgabenfalle

Das Typische für Fallen ist, dass sie unerwartet zuschnappen: „Was soll daran schlecht sein, wenn ich bei den Hausaufgaben helfe? Das war doch zuerst richtig toll, wenn es Sternchen als Lob für unsere Mühe gab. Jetzt gibt es fast täglich Tränen. Was hab ich falsch gemacht?"

Tipp

Eine Studie, die Schulanfänger über vier Jahre hinweg verfolgte, ist zu dem Ergebnis gekommen, dass es die Noten eher verschlechtert, wenn Eltern während der Erledigung der Hausaufgaben ständig neben ihren Kindern sitzen und sich einmischen. Lassen Sie Ihre Tochter oder Ihren Sohn also lieber in Ruhe allein arbeiten. Kommt Ihr Kind mit Fragen zu Ihnen, dann können Sie gemeinsam nach Lösungen suchen.

Zeig doch mal, was du heute aufhast!

Es fing so harmlos an: Das erste Kind in der ersten Klasse. Da dreht sich alles um die Schule. Bisher wusste Frau Berndt über – fast – alles Bescheid, was ihr Kind erlebt und wie es sich entwickelt hat. Nun steigt die Spannung, wenn Claudia aus der Schule kommt. „Na, wie war's heute?" Mühsam zieht sie ihr ein paar Sätze aus der Nase. Ein rechtes Bild kann sie sich davon nicht machen. Spätestens nach dem Essen kommt dann die Frage: „Hast du heute etwas auf?" Noch gibt es nicht jeden Tag etwas, aber heute ist ein Lückentext dran. Mutter und Tochter machen sich zusammen an die Arbeit. Claudia ist noch nicht richtig bei der Sache. „Komm, ich zeig dir, wie das geht!" Die Mutter verbessert, wenn ihr etwas falsch vorkommt.

Die Beratungspraxis zeigt, dass die Falle gerade dann zuschnappt, wenn im zweiten Schuljahr zu Hause Diktate geübt werden.

Frau Berndt erinnert sich Monate später: Claudia hat keine Lust zu den Hausaufgaben, weil sie verabredet ist. Die Mutter besteht darauf, dass sie trotzdem zuerst erledigt werden. Claudia schreibt unordentlicher als sonst. Frau Berndt befürchtet, dass die Lehrerin nicht zufrieden sein wird und bringt Claudia dazu, alles noch einmal abzuschreiben. Das geht schon nicht mehr ohne Widerspruch. Die Tränen fließen – bloß nicht auf das Geschriebene! Das Schreiben ist inzwischen sowieso schon eine Qual, die anfängliche Begeisterung ist erlahmt. Als Claudia endlich zum Spielen geht, ist Frau Berndt ziemlich erschöpft und nachdenklich. Was so harmlos angefangen hat und was ihr Freude gemacht und sogar ein bisschen Bestätigung gegeben hat, ist zur Qual für beide Seiten geworden. „Wie kommen wir da wieder heraus?" und „Wenn bloß die Lehrerin nicht merkt, dass bei uns etwas schiefläuft!"

Hausaufgabenprobleme haben viele Ursachen

Oft zieht sich für beide Seiten das Leiden an den nachmittäglichen Kämpfen bereits eine ganze Weile hin, bis das Maß irgendwann voll ist. Schreib-, Lese- und Rechenprobleme in den ersten Schuljahren sind der häufigste Auslöser für Hausaufgabenstress. Um die Probleme mit den Hausaufgaben zu lösen, ist es zunächst hilfreich, die Ursachen dafür aufzuspüren.

Wie bin ich als Mutter/als Vater?

	ja	nein
■ Ich bin gern fürsorglich.	☐	☐
■ Ich helfe meinem Kind gern.	☐	☐
■ Ich will, dass mein Kind gut durchs Leben kommt. Dazu braucht man einfach gute Schulnoten.	☐	☐
■ Ich vergleiche die Leistungen meines Kindes mit denen gleichaltriger Kinder, um zu schauen, ob die anderen schon weiter sind.	☐	☐
■ Ich frage mich oft, ob der Entwicklungsstand meines Kindes (sein Lerntempo, seine Feinmotorik, seine Konzentrationsfähigkeit...) altersangemessen ist.	☐	☐
■ Ich bin oft unsicher, ob ich mein Kind in der Entwicklung seiner Persönlichkeit richtig unterstütze.	☐	☐
■ Der Lehrer/die Lehrerin sagt häufig: „Üben, üben, üben ..., dann wird es schon klappen."	☐	☐
■ Ich frage mich: „Was denkt die Lehrerin, wenn sie das ‚Geschmiere' sieht?"	☐	☐
■ Wenn ich anderen Eltern von unseren Hausaufgabenproblemen berichte, dann antworten mir diese ständig: „Mein Sohn hat seine Aufgaben immer in zehn Minuten erledigt." Das verunsichert mich sehr.	☐	☐
■ Ich weiß gar nicht, was mit den Hausaufgaben erreicht werden soll.	☐	☐
■ Manchmal frage ich mich, ob mein Kind in der richtigen Schule ist.	☐	☐

Auswertung der Checkliste auf Seite 13:

Wenn Sie besonders viele Fragen mit „Ja" beantwortet haben, dann haben Sie einen größeren Anteil am Entstehen Ihres familiären Hausaufgabenproblems, als Sie vielleicht zunächst vermuten. Doch keine Sorge: Wenn Sie dieses Buch gelesen haben, werden Sie wissen, was Sie in Zukunft besser machen können.

Natürlich haben Sie keineswegs alles selbst zu verantworten. Oft hält die Schule den schwarzen Peter in der Hand:

- Es werden zu viele oder zu schwere Aufgaben aufgegeben. Die Folge: Eltern helfen und drängeln, damit ihr Kind in der Schule nicht unangenehm auffällt.

- Alle Kinder bekommen das Gleiche auf. Die Folge: Langsamere Kinder und pflichtbewusste Eltern erleiden Qualen.

- Es gibt keine klaren Absprachen zwischen Lehrern und Lehrerinnen, Eltern und Schülern bzw. Schülerinnen darüber, wie lange diese im Durchschnitt an den Hausaufgaben sitzen sollten und was genau zu tun ist. Die Folge: Viele Kinder und Jugendliche sitzen weit über ihre persönliche Leistungsfähigkeit hinaus am häuslichen Schreibtisch. Sie lernen nichts dabei, weil ihre Frustration ihre Lernfreude hemmt.

- Der Lehrer oder die Lehrerin vergewissert sich nicht, ob alle Kinder die Aufgabenstellung verstanden haben. Die Folge: Die Aufgaben können zu Hause nicht angemessen bearbeitet werden, der Frust führt in die Krise.

Wie Sie auf solche Defizite reagieren, das erfahren Sie in den nachfolgenden Kapiteln.

Ein Schritt zurück nach vorn

Durch falsch verstandene Hilfe oder falsche Erwartungen kann das Eltern-Kind-Verhältnis nachhaltig gestört werden.

Die Hausaufgabenfalle hat zugeschnappt. Sie versuchen zu helfen, Ihr Angebot stößt auf Widerstand, das Theater ist jeden Nachmittag vorprogrammiert. Wie kommt man wieder aus dem Teufelskreis heraus? „Soll ich mich denn gar nicht mehr kümmern?", fragen Sie jetzt. Ganz so einfach ist es leider nicht. Treten Sie einen Schritt zurück und nehmen Sie sich Zeit für eine Kurskorrektur. Suchen Sie sich einen passenden Zeitpunkt dafür aus. Nach der Ferienpause bestehen zum Beispiel gute Startchancen für einen Neuanfang. Manchmal birgt eine Krise die Chance, wenn Ihnen etwa Ihr Sohn oder Ihre Tochter nach einer der nervenaufreibenden Nachmittagsszenen schluchzend um den Hals fällt und verspricht „von jetzt an immer ..." und „ab heute nie mehr ..." Das könnte die Gelegenheit für einen Durchbruch sein. Es liegt aber an Ihnen, diesem großartigen Vorhaben eine Struktur zu geben, die den ersten Höhenflug übersteht.

Von null auf hundert aus dem Stand werden Sie beide es nicht schaffen. Sie brauchen Etappen auf dem Weg, um sich durch Teilerfolge die Kraft für den nächsten Schritt zu holen und um gegebenenfalls kleine Korrekturen Ihrer Vereinbarungen vorzunehmen. Setzen Sie sich nicht unter allzu großen Erfolgsdruck.

Suchen Sie einen geeigneten Anlass für einen Neubeginn. Das kann die nächste Krise sein, aber auch ein neues Schuljahr, das Ferienende, der Geburtstag oder einfach nur eine Neugestaltung des Kinderzimmers.

Ihr Kind braucht Sie, aber wie?!

Ein Schulkind braucht das Interesse seiner Eltern. Zwar ist die Schule jetzt seine eigene Welt, in der es zurechtkommen will und muss. Aber das geht nicht von einem Tag auf den anderen. Kinder müssen erst lernen, ihre Interessen selbst zu vertreten. Es braucht einige Zeit, bis ein Schulkind es wagt, der Lehrerin oder dem Lehrer mitzuteilen, dass es eine Aufgabe nicht verstanden hat. Noch schwerer ist es einzugestehen, dass die Aufgaben nach einer Stunde immer noch nicht fertig waren und dass man wegen der Überschreitung der zwischen Schule und Elternhaus vereinbarten Hausaufgabenzeiten nicht alle Aufgaben erledigt hat. Bis ein Kind genug Selbstbewusstsein und Vertrauen in der neuen Umgebung Schule entwickelt hat, sind es die Eltern, die

Tipp

Ehrliches Interesse zeigen heißt keineswegs, nur zu loben. Greifen Sie auch kritische Punkte auf. Sie geben Ihrem Kind Sicherheit für sein Verhalten, indem Sie seine Möglichkeiten mit ihm klären.

Schritte auf dem Weg aus der Falle

■ Sollte Ihr Kind eine Veränderung wollen, dann greifen Sie den Wunsch mit Freude auf.

■ Vereinbaren Sie fassbare Zeitziele: statt „nie mehr" und „immer" eine Wochenfrist als erstes Etappenziel.

■ Handeln Sie aus, welche Unterstützung Ihrerseits „erlaubt" ist. Vielleicht können Sie zunächst den Beginn der Arbeit und das Portionieren, das Einteilen in Zeitschritte, unterstützen.

■ Die zeitliche Länge der Hausaufgaben vereinbaren.

■ Vereinbaren Sie, was geschieht, wenn nicht alles geschafft ist. Wer informiert die Lehrerin bzw. den Lehrer?

■ Klären Sie miteinander, ob die Lehrerin bzw. der Lehrer von Ihrem Experiment erfahren soll oder ob Sie es erst mal allein versuchen wollen.

■ Denken Sie sich Rituale und Belohnungen aus: kleine für jeden überstandenen Tag und größere für die erste und die hoffentlich folgenden Wochen. Es sollte etwas sein, das Sie beide mögen und das Sie vielleicht durch den Hausaufgabenstress nicht mehr gemeinsam genießen konnten oder gar als Strafe verboten hatten. Ihr Kind braucht Ihren besonderen Zuspruch und Ihre Zuwendung. Es darf nicht den Eindruck bekommen, dass es Ihnen gleichgültig ist, wie es ihm geht.

■ Vergessen Sie nie, dass Ihr Kind die Initiative ergriffen hat! Der Erfolg des Experiments muss seiner sein, damit sein Selbstbewusstsein wieder wächst.

In den folgenden Kapiteln finden Sie weitere Anregungen und Tipps für Ihre zukünftige Rolle bei der Hausaufgabenbetreuung.

manche Klärung herbeiführen müssen. Außerdem ist ein Kind in der Klasse plötzlich nur noch eines unter vielen. Es muss sich die Aufmerksamkeit der Lehrerin mit allen teilen, es muss geduldig warten, bis es drangenommen wird.

Umso nötiger braucht Ihr Kind jetzt Ihr Interesse. Ihre Fragen und Ihre Bestätigung tun ihm gut und geben ihm Sicherheit. Achten Sie dabei auf ermutigende Formulierungen:

- Zeigen Sie Interesse: „Na, was war heute am schönsten in der Schule? Hat dich etwas geärgert?" Verzichten Sie auf Neugier: „Na, was hast du heute alles gelernt?"

- Fragen Sie: „Wie bist du denn auf diese Lösung gekommen?" Bewerten Sie lieber nicht: „Das ist aber falsch!"

- Geben Sie Bestätigung: „Der Weg kommt mir zwar ein bisschen umständlich vor, aber toll, dass du es so geschafft hast!" Kritisieren Sie nicht: „Das hast du aber wieder umständlich gemacht!"

Wenn Sie merken, dass etwas unklar bleibt, dass Ihr Sohn oder Ihre Tochter die Aufgaben nicht verstanden hat, sie nicht machen will oder sie einfach vergisst, oder auch wenn Ihr Kind einfach nur zu lange an den Aufgaben sitzt – dann wird es Zeit, Kontakt mit der Lehrerin oder dem Lehrer aufzunehmen. Auch wenn Sie es erst allein versucht haben und der häusliche Friede schon gestört ist, hilft nur die Flucht nach vorn. Es kann sich herausstellen, dass die Lehrerin bzw. der Lehrer das Problem gar nicht bemerkt haben, weil es durch Ihre Hausaufgabenhilfe verdeckt war. Es kann sein, dass andere Eltern dasselbe Problem haben, aber jeder dachte, nur das eigene Kind wäre so langsam, so „dumm", so unaufmerksam ...

Eines sollten Sie bedenken, wenn Sie dieses Thema ansprechen: Manche Eltern betrachten Hausaufgabenprobleme als ihr persönliches Versagen. Sie sind deshalb vielleicht wenig geneigt, offen darüber zu sprechen. Ein Versuch lohnt sich dennoch!

Tipp

Hausaufgaben betreffen alle Eltern. Bitten Sie die Elternvertretung, das Thema auf einem Elternabend gemeinsam zu besprechen und zum Beispiel die Dauer der Hausaufgabenzeiten festzulegen. Sie können auch klären, was Sie tun, wenn Ihr Kind nicht mit der vereinbarten Zeit zurechtkommt.

Die richtige Zeit und den eigenen Rhythmus finden

„Erst die Arbeit, dann das Vergnügen", sagt ein nicht aus der Mode kommendes Sprichwort. Viele Eltern handeln nach diesem Motto, vielleicht, weil es für sie selbst am besten passt, vielleicht aber auch, weil sie denken, es gäbe dann weniger Stress mit dem Erledigen der lästigen Pflichten. Das muss nicht unbedingt auch für Kinder und Jugendliche gelten. Manche Kinder packen sofort ihre Schulsachen aus und sind begeistert bei der Sache, weil sie morgens etwas Spannendes angefangen haben, das sie unbedingt weiter ausprobieren wollen. Aber das ist durchaus nicht die Regel und auch nicht unbedingt jeden Tag so.

Jeder Mensch hat seinen eigenen Rhythmus, seine persönlichen Leistungshöhepunkte und -tiefpunkte. Es lohnt schon, mit seinem Kind herauszufinden, ob es nach der Schule außer der Essenspause auch noch etwas Zeit für sich zum Ausruhen oder Austoben braucht, bevor es an die Hausaufgaben geht. Am Nachmittag muss schließlich auch ausgeglichen werden, was vormittags fehlt. Für alle Beteiligten, das Kind und seine Freunde sowie die Mutter oder den Vater, ist es sicher am angenehmsten, wenn die Hausarbeiten am frühen Nachmittag erledigt sind, bevor weitere Verabredungen und Freizeitaktivitäten stattfinden. Sie wissen selbst am besten, ob Ihr Kind am späten Nachmittag noch eine konzentrierte Phase hat. Sie können ihm deshalb helfen, einen Plan für die Zeit am Nachmittag zu entwickeln. Nachfolgend ein Beispiel:

Spiel, Bewegung und Entspannung gehören genauso zum täglichen Leben wie Essen, Trinken und Schule.

12.35 Uhr	Schulschluss
13.00 Uhr	Mittagessen
13.30 Uhr	Pause: Lesen auf dem Sofa oder Spielen auf der Straße
14.30 Uhr	Hausaufgaben
ab 16.00 Uhr	Fußballspiel mit Monja und Tim

Kommen mehrere Kinder nach der Schule zu unterschiedlichen Zeiten nach Hause, ist die Schulanfängerin bzw. der Schulanfänger wahrscheinlich als Erste oder Erster da und kann sich schon vor dem Essen etwas verschnaufen. Die Hausaufgaben können dann anschließend erledigt werden, wobei allerdings mindestens eine halbe, besser eine Stunde Verdauungspause zu berücksichtigen ist. Für Verabredungen und Termine bleibt dann noch genug Zeit. Hat der Nachmittag erst einmal eine Struktur, erleichtert das vor allem jüngeren Kindern den Umgang mit der Zeit. Es ist viel anstrengender, sich täglich neu zu organisieren oder täglich Neues auszuprobieren. Der Alltag hält auch so genug Ausnahmen bereit: einen Arzttermin, die Geburtstagsparty, den ersten Schnee. Für solche Fälle können jederzeit besondere Vereinbarungen getroffen werden.

Es gibt in den Richtlinien der einzelnen Länder Vorgaben darüber, wie lange Schülerinnen und Schüler an ihren Hausaufgaben sitzen sollten. Die Vorgaben unterscheiden sich je nach Schulform und Klassenstufe. Bitten Sie den Lehrer um die entsprechenden Informationen oder sprechen Sie einen Elternvertreter darauf an.

Den richtigen Rhythmus zu finden, muss erst gelernt werden. Der Schulanfang ist eine gute Gelegenheit zum Ausprobieren, weil es nicht täglich und noch nicht viele Hausaufgaben gibt. Werden es dann mehr, ist der Rhythmus bereits vorgegeben.

In Brandenburg heißt es dazu zum Beispiel:

Der zeitliche Aufwand für die Erledigung der Hausaufgaben bezogen auf den einzelnen Unterrichtstag soll im Durchschnitt

a) in den Jahrgangsstufen 1 und 2   30 Minuten,
b) in den Jahrgangsstufen 3 und 4   45 Minuten,
c) in den Jahrgangsstufen 5 und 6   60 Minuten und
d) in den Jahrgangsstufen 7 bis 10   90 Minuten

nicht überschreiten.

Eine Ruhe- oder Bewegungsphase nach dem Mittagessen ist sinnvoll, da der Körper nach der Mahlzeit zunächst alle Energie auf die Verdauung verwendet. Für das Gehirn bleibt da nicht viel übrig.

Ältere SchülerInnen, deren Hausaufgaben gut zwei Stunden in Anspruch nehmen können, können die Zeit auch aufteilen und zum Beispiel nach der Schule die schriftlichen Arbeiten erledigen und die anderen Hausaufgaben am frühen Abend.

Fahrschüler oder -schülerinnen empfinden die Fahrzeit in Bahn oder Bus unterschiedlich:

- als Stress, etwa wenn es im Bus oder in der Bahn Gruppenprobleme unter den Schülern und Schülerinnen gibt,
- als Erholung, wenn sie mit dem Freund oder der Freundin ungestört reden können, oder
- als einen Teil der Hausaufgabenzeit.

Entsprechend strukturiert sich der nächste Abschnitt für sie unterschiedlich.

Für Ihr Kind ist es wichtig, aus eigenen kleinen Fehlern zu lernen und selbst verantwortlich zu werden.

Einen Rhythmus zu finden und eine Vereinbarung darüber mit dem Kind zu treffen, ist die eine Seite. Die Verantwortung dafür, dass die Vereinbarungen auch eingehalten werden, an das Kind abzugeben, ist meist der schwerere, aber durchaus der entscheidende Teil der Übung. Wenn Sie sehen, dass etwas nicht klappt, erinnern Sie an die Vereinbarungen und machen Sie zugleich die Grenzen Ihrer Unterstützung deutlich:

- Setzen Sie zeitliche Grenzen, wenn Ihre Hilfe gebraucht wird: „Um sechs Uhr habe ich eine Verabredung. Da kann ich dir nicht mehr helfen".

Oder: „Nach dem Abendbrot bin ich viel zu müde, um dir noch zu helfen."

- Machen Sie deutlich, wann Ihre Bereitschaft aufhört, dem Lehrer oder der Lehrerin gegenüber die Versäumnisse Ihres Sohnes oder Ihrer Tochter zu rechtfertigen: „Wenn du so spät anfängst, dass du zum Arbeiten zu müde bist, musst du dich selbst entschuldigen. Ich habe dich mehrmals an die Verabredung erinnert."

Möglicherweise fällt Ihnen dieses Verhalten zunächst schwer. Doch machen Sie sich eines deutlich: Klare Grenzen ersparen Ihnen zukünftigen Hausaufgabenstress mit Ihrem Kind.

Der richtige Arbeitsplatz

Ein idealer Platz zum Lernen ist der eigene Schreibtisch im eigenen Zimmer – ohne ablenkenden Blick auf Spielzeug oder Spielplatz. Stuhl und Schreibtisch sollten mitwachsen. Bürostühle sind höhenverstellbar. Es muss auch kein teurer Schreibtisch sein. Eine einfache Arbeitsplatte in einem verstellbaren Regalsystem erfüllt den Zweck ebenfalls. Der eigene Arbeitsplatz wird eher angenommen und mit Stolz genutzt, wenn er selbst her- und eingerichtet wird. Dabei sollten Sie Ihr Kind unterstützen und es mit dem notwendigen Arbeitsmaterial ausstatten. Eine Uhr für die Kontrolle der Zeitvereinbarungen ist unerlässlich.

Mit einer guten Arbeitsstrategie kommt Ihr Kind im Leben weiter.

Wenn Geschwisterkinder ein gemeinsames Zimmer haben, gibt es Abstimmungsprobleme, wer wann wo arbeitet, damit sie sich nicht gegenseitig behindern. Zu Anfang oder auch mal in schwierigen Zeiten ist es aber auch nicht ungewöhnlich, wenn Ihr Kind lieber dort seine Schularbeiten macht, wo Sie gerade beschäftigt sind. Das kann in der Küche sein oder im Wohnzimmer. Wenn Sie das Ziel, Ihrem Kinde zum selbstständigen Arbeiten zu verhelfen, nicht aus den Augen verliegen, ist das kein Problem.

Ältere Schulkinder mit differenzierten Hausaufgaben brauchen zum Arbeiten ihre Sachen um sich herum. Sie sind froh, wenn sie sie nicht immer aufs Neue extra zusammensuchen müssen, weil sie sich zu mehreren einen Arbeitsplatz teilen müssen.

Lassen Sie sich nicht in die Rolle der Bestimmerin oder des Kontrolleurs drängen. Sie helfen weder sich noch dem Kind damit. Es muss lernen, dass es seine Zeit ist, die es möglicherweise falsch einsetzt, und dass schlecht erledigte oder unvollständige Hausaufgaben sein Problem sind. Ihr Kind muss damit allein in die Schule gehen.

Aller Anfang ist schwer

Je jünger ein Kind ist, desto mehr Anerkennung braucht es. Zeigen Sie Interesse daran, wie ein Ergebnis zustande gekommen ist, das stärkt das Selbstbewusstsein.

Kennen Sie diese Situation? Matthias sitzt vor seinem Heft, blättert im Deutschbuch, packt seine Federtasche ein und aus, kaut am Bleistift, guckt in die Luft, seufzt hörbar. Als seine Mutter ihm nach zwanzig Minuten über die Schulter schaut, hat er noch gar nicht angefangen. Es ist nicht das erste Mal und meist endet der Nachmittag mit Tränen.

Für die meisten Kinder ist es gut, wenn sie einen Erwachsenen haben, der ihnen nach der Schule zuhört und ihnen beim Strukturieren der Hausaufgaben hilft. Fängt Ihr Kind lieber mit den einfachsten Aufgaben an und holt es sich durch den Erfolg den Motivationsschub für die schwierigeren Arbeiten? Nimmt es sich zuerst die schweren Brocken vor und dann das „Leichte"? Mischt es lieber? Das kann Ihnen völlig gleichgültig sein, wenn die Strategie zum Erfolg führt.

Manchen Kindern ist es angenehm, wenn Sie dabeibleiben, bis sie „losgelegt" haben. Andere brauchen zwischendurch hin und wieder etwas Aufmunterung und Bestätigung. In jedem Fall sollten Sie die Zeit finden, das Ergebnis zu würdigen, vor allem so lange, wie Ihrem Kind die Bestätigung noch gut tut. Im Laufe der Schuljahre muss Ihr Kind lernen, sich und seine Leistungen selbst einzuschätzen und seine Aufgaben so zu erledigen, dass es mit sich selbst zufrieden ist. Sie helfen ihm dabei, indem Sie nicht direkt loben oder tadeln, sondern zuerst fragen, wie das Kind selbst sein Arbeitsergebnis beurteilt. Sie haben dann noch genug Gelegenheit, es bei zu hohen Ansprüchen an sich selbst vor Entmutigung zu schützen oder bei zu geringen Ansprüchen über mehr Sorgfalt zu verhandeln – immer eingedenk dessen, dass der Maßstab der Lehrkraft vielleicht ein anderer ist als die Ihre.

Tipp

Fördern Sie die Selbsteinschätzung Ihres Kindes durch Fragen wie: „Wie gefällt dir dein Bild?"
„Bist du zufrieden mit deiner Schrift, deinem Aufsatz, deinem Tempo?"
„Was gefällt dir nicht so gut?"
„Möchtest du deinen Aufsatz morgen vorlesen?"

Eine Arbeitsstrategie erarbeiten

Helfen Sie Ihrem Kind mit den richtigen Fragen, seine
Aufgaben zu gliedern:
- Was hast du heute auf?
- Wie willst du die Aufgabe erledigen?
- Womit willst du anfangen?
- Wozu brauchst du meine Hilfe? (Vokabeln oder
  Gedicht abhören, Aufgaben einteilen)

Es ist wie bei jeder Aufgabe: Je größer der Berg ist
oder erscheint, desto wichtiger ist das Portionieren,
also die Gliederung in einzelne Aufgabenschritte. Dies
können Sie zunächst gemeinsam einüben, bis Ihr
Kind die Technik allein beherrscht.
- Bitten Sie Ihr Kind, alle zu erledigenden Aufgaben
  aufzuschreiben.
- Größere Aufgaben sollten in kleine Teilaufgaben
  unterteilt werden.
- Jede erledigte (Teil-)Aufgabe wird durchgestrichen.

In den höheren Klassen: Mit dem Übergang in eine
weiterführende Schule sind Aufgaben nicht mehr
unbedingt zum nächsten Tag zu erstellen. Beachten
Sie, in welchen Zeiträumen oder im Rahmen welcher
Wochenpläne Aufgaben zu erledigen sind. Wichtig
wird jetzt zunehmend eine Planung über den Tag
hinaus.

Richtig auf Fehler reagieren

■ Sie können Grundschulkinder zur Selbstständigkeit erziehen, indem Sie nicht direkt auf einen Fehler hinweisen. Zeichnen Sie in der Zeile einen Punkt an den Rand des Heftes, wo sich ein falsch geschriebenes Wort oder eine fehlerhafte Lösung findet. Bitten Sie Ihr Kind, den Fehler selbst zu suchen.

■ Lassen Sie Ihr Kind prüfen, ob es sich bei einem Fehler um einen Flüchtigkeitsfehler beim Schreiben oder Rechnen handelt: „Schau mal, das Ergebnis kommt mir zu hoch vor!" oder „Ist das schon wieder die neue deutsche Rechtschreibung ..." – die Sie auch noch nicht perfekt beherrschen – „ ... oder ist das die Petra-Falschschreibung?"

■ In den meisten Fällen sind die Kinder sehr stolz, dass es ihnen gelingt, Fehler zu korrigieren. Falls Ihr Sohn oder Ihre Tochter Fehler häufiger nicht findet, sollten Sie mit der Lehrerin oder dem Lehrer Absprachen darüber treffen, wie weiter zu verfahren ist. Er oder sie wird eher froh sein, auf diese Weise gezielt zu erfahren, wo einzelne Kinder noch Lücken haben, dies geht im allgemeinen Unterrichtsgetümmel oft unter.

■ Besprechen Sie mit Ihrem Kind, dass es alles Recht der Welt hat, sich im Unterricht noch einmal erklären zu lassen, was es nicht verstanden hat.

■ Erliegen Sie keinesfalls der Versuchung, sich als Nachhilfelehrerin zu betätigen!

Aus Fehlern lernen

Beim Durchsehen der Hausaufgaben werden Sie gelegentlich auf vermeintliche oder wirkliche Fehler stoßen. Wenn Ihnen ein Fehler auffällt oder wenn Sie etwas nicht verstehen, machen Sie Ihr Kind darauf aufmerksam, aber machen Sie es nicht „klein", indem Sie es abwerten. Fehler sind wichtige Lernhilfen, die oft nachhaltiger wirken als reibungsloses Lernen.

Als ich ein Kind war, lernte man noch auf Schiefertafeln schreiben. Ich sehe sie noch vor mir: eine ganze Tafel mit „S". Stolz habe ich die Hausaufgaben meiner Mutter gezeigt. Die hat mich dann, sicher sehr liebevoll, darauf aufmerksam gemacht, dass ich eine Tafel voller Fragezeichen geschrieben hatte. Das bedeutete: alles auswischen und noch einmal von vorn.

Was beim ersten Mal noch Spaß gemacht hatte, wurde zur Qual – trotz der Einsicht, dass es keine Alternative gab. Mit dem „S" hatte ich aber wenigstens keine Probleme mehr. Wie mag es Kindern gehen, die aus anderen, weit weniger einsichtigen Gründen ganze Seiten zweimal oder gar mehrmals schreiben müssen?

Lassen Sie sich den Lösungsweg erklären, wenn Ihnen ein Ergebnis falsch vorkommt: „Wie hast du das berechnet?" Fragen Sie, wenn Ihnen etwas „spanisch" vorkommt: „Ist die Glühbirne wirklich schon 1854 erfunden worden?"

Das bewusste Überprüfen hilft Ihrem Kind, Kenntnisse zu festigen. Denken Sie einmal nach: Sie werden viele Beispiele dafür finden, dass Sie etwas nicht mehr so leicht vergessen oder verlernen, weil Sie es einmal falsch gemacht haben.

Die Korrektur sollte aber ruhig erkennbar bleiben, damit die Lehrerin oder der Lehrer auch erkennen kann, was im ersten Anlauf nicht geklappt hat.

Bei der Fehlerkorrektur kommt in der Regel auch zu Tage, dass Ihr Kind etwas noch gar nicht verstanden hat, sondern dass es nur mechanisch versucht hat, sich an einem Musterbeispiel zu orientieren. Wenn Sie das feststellen, muss es der Lehrer oder die Lehrerin erfahren.

Fehler sind Lernhilfen. Der richtige Umgang damit fördert das Lernen.

Vermutlich ist Ihr Kind auch nicht das einzige, das den Unterrichtsstoff nicht verstanden hat. Wenn Sie zu Hause alle Fehler unkenntlich machen und selbst „ausbügeln", hat es die Lehrerin oder der Lehrer im Unterricht schwer, Ihr Kind angemessen zu fördern.

„Ich weiß nicht, wie das geht!"

Wenn Unsicherheiten auftreten, ist es ganz hilfreich, sich berichten zu lassen, was Ihr Kind aus dem Unterricht noch weiß, dann erledigt sich die Unklarheit häufig von selbst. Vielleicht hilft auch ein praktisches Beispiel. Es kann aber auch alles sehr viel komplizierter sein. Die Diskussion über Lösungswege kann Verwirrung stiften. Selbst wenn Sie die richtige Methode kennen, verleitet Ihre Hilfestellung leicht dazu, dass Ihr Kind sich daran gewöhnt, dass Ihre Hilfe es schneller zum Ziel führt als eigenes Nachdenken. Und das wollen Sie doch bestimmt nicht erreichen.

Versuchen Sie nicht, Ihrem Kind den Lösungsweg so zu erklären, wie Sie es gelernt haben.

Wenn Ihr Kind den Stoff nicht verstanden hat, der mit der Hausaufgabe geübt werden soll, muss die Lehrerin oder der Lehrer das erfahren. Bei jüngeren Schulkindern ist es angebracht, eine schriftliche Nachricht zum Beispiel im Hausaufgabenheft mitzugeben mit der Erklärung, warum diese Hausaufgabe nicht erledigt werden konnte.

Natürlich würde manches schneller erledigt werden, wenn Sie es selbst machen, anstatt Ihrem Kind geduldig zu helfen, die Zeichnung sauber aufs Papier zu bringen oder den Aufsatz klar zu gliedern. Es gibt auch Ausnahmen – die Wartezeit beim Arzt hat viel länger gedauert, vor dem Kindergeburtstag hat Ihr Kind nicht alles geschafft und nun ist es doch sehr spät geworden. Darüber brauchen wir nicht zu reden. Wenn Sie aber auf Schmeicheleien – „Du kannst das so gut!" – hereinfallen, ist es Zeit, die Bremse zu ziehen.

Sicherlich vergisst jeder Schüler einmal seine Hausaufgaben.

Wenn Sie die klagende Bitte um Hilfe häufiger hören, empfiehlt es sich, nach den Ursachen zu fragen. Eigentlich wollen Kinder selbstständig sein und immer unabhängiger von der Hilfe ihrer Eltern werden. Sie freuen sich selbst darüber, wenn sie etwas allein geschafft haben und freuen sich über Ihre Bewunderung. Aber nicht immer verläuft diese Entwicklung geradlinig. Wenn Ihr Kind ängstlich ist und sich vor den Mitschülern

oder der Lehrerin nicht blamieren will, wird es Ihre Hilfe stärker in Anspruch nehmen wollen.
Lernprobleme können vielfältige Ursachen haben: Es kann zum Beispiel sein, dass sich bei Ihnen zu Hause etwas geändert hat, etwa dass Sie als Mutter Ihre neu gewonnene Freiheit durch längere Schultage für den Wiedereinstieg in den Beruf nutzen. Vielleicht kriselt es in Ihrer Ehe, vielleicht belastet eine Krankheit oder gar ein Todesfall Ihre Familiensituation. Ihre Gedanken sind bei anderen Dingen. Ihr Kind versucht in solchen Phasen möglicherweise unbewusst, Ihre Aufmerksamkeit zurückzugewinnen. Es wird diese Versuche auch dann nicht einstellen, wenn Sie ungeduldig werden und es täglich zu Szenen kommt. Vorsicht: Es entwickelt sich in solchen Zusammenhängen leicht ein Teufelskreis, den Sie frühzeitig unterbrechen müssen. Nicht immer sind die Ursachen von Hausaufgabensorgen leicht auszumachen.

Ihre Aufgabe ist es, das Selbstbewusstsein Ihres Kindes zu stärken und die Rahmenbedingungen in der Schule im Blick zu behalten.

◀ Ein ordentlich geführtes Hausaufgabenheft ist eine große Hilfe.

Ich will wissen, was da los ist

Eine Mutter bittet in meiner Sprechstunde um Rat: „Mein Sohn ist in der zweiten Klasse. Es ist eine Integrationsklasse mit behinderten und nicht behinderten Kindern und trotzdem findet überwiegend Frontalunterricht statt. In der Schule spielt mein Sohn die meiste Zeit. Er will sein Pensum zusätzlich zu den Hausaufgaben lieber zu Hause machen. Das hat zu Spannungen geführt. Die Lehrerinnen sind unzufrieden. Sie haben von Verhaltensproblemen gesprochen. Hausaufgaben gibt es nur wenige. Viele Eltern in der Klasse sind mit den Lehrerinnen und dem Leistungsstand unzufrieden und ackern zusätzlich mit ihren Kindern. Ich kann mir das Verhalten meines Sohnes nicht erklären. Ist er vielleicht unterfordert? Was kann ich tun?"Gemeinsam finden wir heraus, was zu klären ist und wo Handlungsbedarf besteht:

> In vielen Bundesländern ist das Recht, sein Kind im Unterricht zu erleben (zu hospitieren), im Schulrecht ausdrücklich erwähnt. Wenn nicht, kann man trotzdem fragen; das heißt nicht gleich, dass es verboten ist.

- Es sollte ein Intelligenztest beim schulpsychologischen Dienst durchgeführt werden, um zu prüfen, ob der Junge unterfordert ist.
- Die Mutter könnte zur Beobachtung des Verhaltens im Unterricht hospitieren. (Hat der Sohn Langeweile oder Angst, sich vor den Mitschülern und Mitschülerinnen zu blamieren?)
- Sie muss zu Hause klare Grenzen zur Unterstützung setzen, also die Hilfe beim Nacharbeiten schulischer Arbeiten schrittweise, aber klar abgesprochen einstellen.
- Ein Elternabend zum Thema Hausaufgaben könnte helfen.

Auch wenn Frau Preuss sich nicht alle Punkte zutraut, wird sie etwas für den Sohn bewegen; vor allem, wenn sie das liebevolle Grenzensetzen zu Hause durchhält.

Eltern müssen nicht alles wissen ...

Eltern müssen sich zu helfen wissen. Seitdem die neue deutsche Rechtschreibung gilt, bekommen Sie die neuen Regelungen „frei Haus". Es tut der elterlichen Autorität keinen Abbruch, wenn Sie gleich mitlernen. Es zeigt Kindern, dass Lernen nie aufhört.

Auch wenn unser Wissen immer schneller veraltet, haben Eltern doch gerade bei den jüngeren Schulkindern noch einen Vorsprung. Kinder merken es schnell, wenn Eltern stolz auf ihr Wissen sind und es bereitwillig zur Verfügung stellen, anstatt ihre Kinder selbst nachdenken und suchen zu lassen. Sie dürfen sich ruhig dumm stellen und gespannt auf das Ergebnis sein. Aber Vorsicht: Wenn ein Versuch nicht gleich gelingt, darf ein Kind oder ein Heranwachsender sich nicht blamiert fühlen. Fehler sind Lernhilfen.

Informationsbeschaffung: in Bibliotheken, im Internet ...

Ein Lexikon und einige Sachbücher sollten in jedem Haushalt zu finden sein. Falls Sie solche Bücher nicht im Haus haben, sollten Sie sie baldmöglichst anschaffen. Selbstständiges Nachschlagen in Lexika, aber auch einfache physikalische, chemische oder biologische Versuche sollten zu Hause möglich sein und von den Eltern mit Interesse aufgenommen werden. Die Ausstattung und die räumlichen Möglichkeiten in den Familien sind jedoch unterschiedlich, nicht alles ist überall möglich. In den weiterführenden Schulen sind dann irgendwann die Grenzen der Unterstützungsmöglichkeit durch die Eltern erschöpft. Kein Grund zur Sorge: Wenn das Klima in der Klasse gut ist, helfen sich die Schüler und Schülerinnen bei kleineren Problemen gegenseitig. Bei Heranwachsenden können Eltern häufig selbst noch einmal mitlernen.

Geben Sie selbst ein Vorbild, indem Sie Tageszeitungen, Fernsehen und Rundfunk nicht nur zur Unterhaltung und Ablenkung, sondern auch als Informationsquelle nutzen.

Wo bekommt man Informationen, ohne ständig Bücher kaufen zu müssen? Wo gibt es Zirkel, Arbeitsgruppen oder Ferienangebote mit bestimmten sprachlichen oder technisch-naturwissenschaftlichen Ausrichtungen? Wie kann man im Internet recherchieren, auch wenn man selbst keinen Anschluss hat? Im Internet kann man zwar fast alles finden, aber man „verläuft" sich auch leicht und

Schaffen Sie eine Atmosphäre der Neugierde und des Lernens in Ihrem Haus, sodass es allen Spaß macht, gemeinsam Dinge zu erkunden.

braucht unter Umständen mehr Zeit zum Aussortieren brauchbarer Informationen unter den angebotenen Datenmengen. Die Benutzung von Suchmaschinen sollte inzwischen spätestens in der weiterführenden Schule geübt werden. Aber wenn Schüler hoffen, unter www.hausaufgaben.de ihre Hausaufgaben fertig vorzufinden und nur ausdrucken zu müssen, sehen sie sich schnell enttäuscht. Die Aufgabenstellungen sind in den seltensten Fällen identisch mit den Angeboten.

Nur bei wenigen Genies ist es da mit einmal „Drüberhuschen" getan.

Lernstrategien

Viele Wege führen bekanntlich nach Rom. Wenn Sie die Medienberichte aufmerksam verfolgen, erfahren Sie ständig, wie wichtig es ist, dass Kinder in der Schule nicht nur Faktenwissen anhäufen, sondern das Lernen lernen. Der Erledigung von Hausaufgaben kommt dabei große Bedeutung zu, weil Kinder und Heranwachsende dabei gleichzeitig ihre persönlichen Strategien beim Erwerb von Wissen gut entwickeln können. Denn was bei dem einen gut funktioniert, muss noch lange nicht für alle passen. Dazu gehört auch das Einteilen der Zeit.

Gleichgültig, ob Einmaleins oder Vokabellernen: Es geht um Strategien, sich auf ein Thema für eine Klassenarbeit vorzubereiten, die wichtigsten Dinge zu beherrschen und diese in einem Bezug zum Unterricht zu setzen. Wissen, Vokabeln und Formeln sollten gut im Langzeitgedächtnis abgespeichert sein. Nicht alles muss so tief sitzen, wenn nur das Prinzip verstanden ist.

Das gilt für alle Fächer, Geschichtliches wie auch für die Naturwissenschaften. Für Klassenarbeiten und Prüfungen wird der Stoff noch einmal „hochgeholt", der in einem vorherigen Zeitabschnitt behandelt wurde. Durch solches Wiederholen wird auch das Langzeitgedächtnis positiv beeinflusst, aber nicht jede Jahreszahl, jedes spezifische Gewicht, jeden Namen eines Generals muss man ständig parat haben, wenn klar ist, wo die Quellen bei Bedarf schnell zu finden sind.

Das hilft beim Lernen

■ Vielseitig verwendbar für Vokabeln und zur Vorbereitung auf Klassenarbeiten und Prüfungen ist die Lernkartei. Deshalb stellen wir sie hier vor. Man braucht dazu Karteikärtchen und einen Kasten, den man in fünf Fächer unterteilt. Auf diese Kärtchen werden eine Seite Fragen, Aufgaben bzw. Vokabeln in einer Fremdsprache, auf die andere Seite Antworten, Ergebnisse bzw. die Vokabeln in Deutsch geschrieben.

Die Kärtchen mit den „gewussten" Vokabeln oder richtig beantworteten Fragen wandern ins nächste Fach. Die unerledigten kommen ans Ende dieses Faches zurück.

Für das Langzeitgedächtnis reicht es nicht, etwas vor kurzem Gelerntes einmal zu üben. Klassenarbeiten werden in der Regel eine Woche vorher angekündigt. Deshalb empfiehlt es sich, die Karten täglich durchzugehen, bis sie alle im letzten Fach angekommen sind. Solche Karteikarten kann man selbst basteln oder im Fachhandel kaufen.

■ Schaffen Sie Schreibanlässe: kleine Botschaften, „Liebesbriefe" für den Menschen, der zuerst nach Hause kommt; Einkaufszettel; Notizen über Telefonanrufe; die Checkliste für das Urlaubsgepäck; Urlaubsgrüße. Es gibt bei näherer Betrachtung reichlich gute Gründe zum Schreiben in unserem elektronischen Zeitalter, in dem Briefe so rar geworden sind.

■ Beziehen Sie Ihr Kind in Ihre alltäglichen Rechenkunststücke und andere praktische Alltagsfragen ein: Preise beim Einkaufen vergleichen; Überschlagen, ob die Kassiererin sich nicht zu Ihren Ungunsten vertippt hat; Mengen berechnen für Rezepte, neue Vorhänge, den Fußbodenbelag; den Treibstoffverbrauch fürs Auto überprüfen; einen Grundrissplan für eine neue Zimmereinrichtung oder das Wochenendhäuschen anfertigen.

Ältere Schüler und Schülerinnen rechnen solche Vorbereitungen auf Klassenarbeiten nicht zu den regulären Hausaufgaben, sie verwenden darauf zusätzliche Zeit. Sie behelligen seltener ihre Eltern damit und unterstützen sich eher einmal gegenseitig. Das wünschen wir Ihnen auch.

Zum Lernen wird Sehen, Hören und Handeln – wenn auch bei jedem Menschen auf andere Weise und in unterschiedlichem Maße – gebraucht. Wie stark ein Mensch auf die einzelnen Sinne beim Lernen angewiesen ist, ist individuell unterschiedlich. Es lohnt sich unbedingt herauszufinden, welcher Lerntyp Ihr Kind ist.

Sie haben für sich selbst sicher Brücken zum Merken oder gegen das Vergessen gebaut: Lautes frei Aussprechen anstelle von „nur" Ablesen; Aufschreiben (Ihr Einkaufszettel kann ruhig zu Hause liegen bleiben, Hauptsache, Sie haben Ihre Liste geschrieben); so lange wiederholen, bis es sitzt – manchmal lustvoll, manchmal quälend (das neue Computerprogramm).

Ihre Chance besteht darin, für das in der Schule Gelernte einen Bezug zum Alltag herzustellen.

Helfen Sie Ihrem Kind, seine eigenen Strategien zu finden, machen Sie Vorschläge, regen Sie an, dass die Kinder sich in der Schule über ihre Strategien austauschen.

Lassen Sie Ihr Kind zunächst im Fachhandel oder bei Freunden probieren, bevor Sie teure Lernspiele oder Lernsoftware für den Computer kaufen.

Das „Machenlassen" kostet natürlich Zeit, weil Ihnen selbst das alles leichter von der Hand geht. Aber es lohnt sich und ist weit wirkungsvoller und stressfreier als alle zusätzlichen Rechenpäckchen und Abschreibübungen.

◀ Die richtige Schreibhaltung ist für Linkshänder besonders wichtig.

Sie bleiben auf dem Laufenden

Durch die Hausaufgaben erfahren Sie viel über Ihr Schulkind. Bei Schulanfängern, wenn auch für Sie alles neu ist, ist besondere Aufmerksamkeit durchaus angesagt.

Linkshänder brauchen besondere Aufmerksamkeit

Spätestens beim Schreibenlernen klärt sich, ob Ihr Kind Rechts- oder Linkshänder ist oder ob die Seitigkeit (Lateralität) noch nicht endgültig entwickelt ist.

Bei Linkshändern sind Schreibgeräte für das Schreibenlernen von großer Bedeutung. Tauschen Sie sich über das Informationsmaterial, das Sie finden, mit der Lehrerin oder dem Lehrer aus und stimmen Sie sich über die Schreibhaltung ab. **Verunsichern Sie Ihr** Wenn Sie Ihrem Kind andere Anweisungen zum Bei- **Kind nicht, indem es** spiel bezüglich der Schreibhaltung oder der Schreib- **zwischen die Fronten** weise geben, bekommen Sie sicher zu hören: „Frau **gerät.** Berger hat aber gesagt ...". Eines müssen Sie akzeptieren: Die Lehrerin oder der Lehrer hat das Sagen in der Schule.

33

Ich führe heute die Rechtschreibschwierigkeiten meines Sohnes unter anderem darauf zurück, dass er als Linkshänder zu Anfang eine falsche Schreibhaltung hatte. Vor Beginn der Schulzeit hatte er Worte, die er häufig sah, ganzheitlich erfasst und gern nachgeschrieben. In der Schule wurde das Schreiben bald eine Qual für uns beide. Mit der Hand verdeckte er, was er schrieb, konnte also die langsam entstehenden Wortbilder nicht aufnehmen. Wenn ich ihm eine andere Schreibhaltung empfahl, bekam ich zu hören: „Das hat Frau ... aber nicht gesagt!" Ich habe mich zu lange auf die Lehrerin verlassen und erst nach über einem Jahr, als schon viele Tränen geflossen waren, meine Kurskorrektur vorgenommen.

Teilleistungsschwächen erkennen

Schreiben, Lesen und Rechnen stehen am Schulanfang im Vordergrund und bei den Hausaufgaben wird schnell deutlich, wenn ein Kind Lese-, Rechtschreib- oder Rechenschwierigkeiten entwickelt. Wenn Sie bei den Hausaufgaben die Rechtschreibfehler mit Ihrem Kind spurlos bereinigen, bei den Rechenaufgaben ständig helfen und die Leseübungen durch langwieriges Auswendiglernen bewältigen, dauert es mitunter lange, bis die Lehrerin oder der Lehrer merkt, dass zusätzliche Förderung notwendig ist. Das Kind hat dann oft schon die Lust und den Mut verloren. Das erschwert die Förderung zusätzlich. Eine gute Abstimmung mit der Schule ist dringend notwendig. Hat die Lehrerin, hat der Lehrer genügend Diagnose- und Fördermöglichkeiten oder sollte schulpsychologische

Niemand kann alles gleich gut. Auch Ihr Kind hat Stärken und Schwächen.

Beratung in Anspruch genommen werden? Was müssen Sie als Eltern beachten, können oder sollen Sie selbst zusätzlich fördern? Fragen über Fragen: Für viele Teilleistungsstörungen gibt es Eltern-Selbsthilfegruppen.

Lese-Rechtschreib-Schwierigkeiten sind besonders hinderlich, weil sie sich auf alle Lernbereiche und Fächer auswirken. Das führt dazu, dass sie nicht so gelassen hingenommen werden, wie zum Beispiel musische oder sportliche Schwächen. Das Kind muss aber damit leben lernen und braucht dafür ein gestärktes Selbstbewusstsein, um die Misserfolge verarbeiten zu können.

Hausaufgaben vergessen: 6

Wenn Ihr Kind häufig angibt, nichts oder wenig aufzuhaben, ist dies zunächst kein Anlass, sich Sorgen zu machen. Es kann zum Beispiel durchaus sein, dass Ihre Tochter oder Ihr Sohn so schnell lernt, dass sie oder er weniger aufbekommt als andere Kinder in der Klasse. Sind die Kinder im Unterricht früh mit gestellten Aufgaben fertig, können sie in manchen Klassen auch mit ihren Hausaufgaben beginnen, um sie bis zum Ende der Stunde zu beschäftigen. Schnell arbeitende Kinder sind dann vielleicht am Ende der Stunde auch schon mit ihren Hausarbeiten fertig.

Hausaufgaben können in unterschiedlicher Menge aufgegeben werden. In vielen Bundesländern finden sich Regelungen in den entsprechenden Vorschriften oder Richtlinien.

In Nordrhein-Westfalen geben die Richtlinien folgende Empfehlung: Es empfiehlt sich, die gestellten Aufgaben nach der Leistungsfähigkeit, der Belastbarkeit und den Neigungen der Schülerinnen und Schüler zu differenzieren.

Sollte Ihr Kind aber wirklich einmal die Hausaufgaben vergessen haben, dann sollte dies im Rahmen schulischer Kontrollen auffallen. Im Idealfall hat die Lehrerin oder der Lehrer Verständnis: Fehlende Aufgaben müssen in der Regel lediglich nachgearbeitet werden. Es kann aber auch eine schlechte Note dafür geben. Bleibt ein solches Versäumnis kein Einzelfall, sollten Sie dies von der Lehrerin oder dem Lehrer erfahren. Wichtig ist dies insbesondere für den Fall, dass Ihr Kind „vergessen" hat, mit Ihnen darüber zu reden. In vielen Bundesländern wird die regelmäßige Hausaufgabenkontrolle in den Richtlinien vorgeschrieben.

In den Richtlinien in Berlin heißt es zum Beispiel:

Kontrolle der Hausaufgaben
1) Alle Hausaufgaben sind je nach Aufgabenstellung im Unterricht auszuwerten oder zu kontrollieren. Die Arbeitsergebnisse sollen durch die Lehrerin und den Lehrer, können aber auch von den Schülerinnen und Schülern gegenseitig überprüft werden.
2) In geeigneten Fällen können die in Hausarbeiten erworbenen Kenntnisse schriftlich kontrolliert werden. Die Kontrolle darf 10 Minuten nicht überschreiten.

Vergessen ist menschlich. Wichtig ist eine angemessene Reaktion von Ihrer Seite. Ihr Kind hat ja bereits in der Schule erfahren, dass es etwas falsch gemacht hat. Sie dürfen diese Einschätzung durchaus teilen. Aber statt einer erneuten und somit doppelten Bestrafung sollten Sie besser nach Ursachen und Abhilfen suchen.

Sie kennen Ihr Kind und finden gemeinsam mit ihm sicher die Brücken, die ihm helfen. Die Hauptsache ist, dass Ihr Kind den Mut nicht verliert, sich Ihnen anzuvertrauen, wenn ihm Fehler unterlaufen.

Vor allem die Schulanfänger müssen erst lernen, mit Verpflichtungen wie etwa Hausaufgaben sorgfältig umzugehen.

Auch wiederholte Bemerkungen vom Kaliber „Ich weiß nicht mehr, was ich aufhabe!" und „Ich weiß gar nicht, was ich machen soll!" machen die Hausaufgabensituation nicht vergnüglicher. Vorsicht, lassen Sie sich nicht in die bereits angesprochene Hausaufgabenfalle locken! Sie müssen sich einfach immer bewusst machen, dass Sie Ihrem Kind nicht wirklich helfen, wenn Sie ihm Denkarbeit abnehmen.

Teil der Bewältigung von Hausaufgaben ist es, die Aufgaben und die Aufgabenstellung vollständig zu erfassen. Deshalb ein kurzes Wort dazu: Lernstoff zu üben, zu festigen oder den Unterrichtsstoff vor- oder nachzubereiten, das ist ein wesentlicher Aspekt der Hausaufgaben. Ebenso wichtig ist es, zu lernen, Aufträge verantwortlich auszuführen.

In Hessen heißt es zum Beispiel:

Das Schwergewicht der Arbeit der Schule liegt im Unterricht. Hausaufgaben ergänzen die Unterrichtsarbeit durch Verarbeitung und Vertiefung von Einsichten und durch Anwendung von Kenntnissen und Fertigkeiten. Sie können zur Vorbereitung neuer Unterrichtsstoffe dienen, sofern die altersmäßigen Voraussetzungen und Befähigungen der Schülerinnen und Schüler dies zulassen.

Es ist ein Lernziel für die Kinder, mit dem Lernen und folglich auch den Hausaufgaben zurechtzukommen. Sie müssen dies keineswegs schon bei Schulbeginn beherrschen.

Hilfen gegen das Vergessen

Solange die Kinder das Schreiben noch lernen, können sie nicht selbstständig ein Hausaufgabenheft führen. Da kommt es schon mal vor, dass ein Kind nicht alles richtig verstanden hat. Manchmal kann sich Ihr Kind wieder erinnern, wenn Sie sich aus der Stunde erzählen lassen. Sie kennen das von sich, wenn Sie etwas vergessen haben und konkret oder in Gedanken an die Stelle zurückkehren, an der Sie sich etwas vorgenommen haben. Oft fällt es Ihnen dort wieder ein. Wenn Nachdenken nicht hilft, gibt es zum Glück Klassenkameraden, die man fragen kann. Die Hausaufgaben werden zu Beginn meist mündlich aufgegeben, manchmal gibt es auch Bögen zum Ausfüllen oder kurze Seitenangaben, die mit Symbolen verknüpft werden, die die Kinder schnell beherrschen und abzeichnen können. Es ist natürlich ratsam, das die Eltern darüber informiert werden, was diese Symbole im Einzelnen bedeuten.

> **Sehr hilfreich ist es, in einer Klasse Listen mit den Telefonnummern aller Klassenkameraden oder -kameradinnen anzulegen und diese allen Kindern auszuhändigen.**

> **Erklären Sie Ihrem Kind, welche Merkhilfen Sie selbst verwenden und wie Sie damit umgehen: Notizheft, Adressverzeichnis, Kalender/Wochenplan, Liste mit offenen Arbeitsaufgaben: „zu erledigen". Farbige Markierungen helfen – auch beim Lesen – zwischen Wichtigem und Unwichtigem zu gliedern.**

In den meisten Klassen gibt es Telefonlisten. Wo diese fehlen, können Sie sie bei der nächsten Elternversammlung anregen. Hat Ihr Kind vergessen, was es aufhat, kann es die Aufgaben bei einem Klassenkameraden erfragen. Bei solchen Telefonaten bekommen Sie ein Gespür dafür, ob mehrere Kinder dasselbe Problem haben oder ob lediglich Ihr Kind häufig nicht weiß, was es aufhat. In dem einen wie dem anderen Falle wird es Zeit, mit der Lehrerin oder dem Lehrer zu beraten, woran dies liegen kann.

Das Hausaufgabenheft wird Ihnen aus der eigenen Schulzeit noch bekannt sein. Es reicht meistens aus, wenn es regelmäßig geführt wird. Eine pädagogische Neuerung des Unterrichts in den Grundschulen, aber auch in der Sekundarstufe I sind Wochenpläne. Sie haben zusammen mit der Freiarbeit Einzug in den modernen Unterricht gehalten. Schülerinnen und Schüler sollen einen vorausschauenden Überblick über die in einer Woche zu leistende Lernarbeit bekommen und lernen, ihre eigene Wochenlernarbeit weitgehend selbst einzuteilen. Es gibt auf einer Wandtafel, auf einem Blatt Papier oder einem großen Aushang eine schriftliche Übersicht über verschiedene Arbeiten, die im Laufe einer Woche zu erledigen sind. Die gesamte Klasse muss zur Selbstorganisation und zu der Überlegung angeregt werden, wie und mit welchem Mittel sie die angestrebten Lernziele erarbeiten kann.

Hausaufgabenpläne können eine große Entlastung sein. Sie helfen daran zu denken, wann was notwendig ist. Erledigtes kann man abstreichen.

Spätestens ab der fünften Klasse der weiterführenden Schule nimmt der gefächerte Unterricht zu. Die wenigsten Fächer werden an jedem Schultag unterrichtet. Die Schülerinnen und Schüler müssen also die Hausaufgaben nicht unbedingt an dem Tag erledigen, an dem sie sie aufbekommen. Sie gewinnen mehr Spielraum bei ihrer Zeiteinteilung. So förderlich das für die Entwicklung des selbstständigen Lernens ist, so sehr birgt es jedoch andererseits die Gefahr, den Überblick zu verlieren.

Sie können Ihren Sohn oder Ihre Tochter unterstützen, indem Sie gemeinsam einen Hausaufgabenplan entwickeln. In einen solchen Plan werden die Arbeitsaufträge an dem Tag eingetragen, an dem sie vorgelegt werden müssen, meist ist dies die nächste Unterrichtsstunde in dem entsprechenden Fach.

Montag	Dienstag	Mittwoch
1 Deutsch Lesen S. 22–35	Englisch Vokabel-Unit	Mathematik S. 51, Nr. 2a–d
2 Politik S. 49	Deutsch 10 Sätze mit Final-Nebensatz	Biologie S. 36
3 Englisch Workbook S. 19	Mathematik S. 50, Nr. 3	Englisch Vokabeln S. 103
4 –	Erdkunde Arbeitsblatt Bundesländer	Musik
5 –	–	Sport Turnschuhe einpacken

◀ Ausriss aus einem Hausaufgabenplan.

Den Hausaufgabenplan können Sie zunächst gemeinsam ausfüllen, mit der Zeit sollten Sie sich allerdings aus der Organisation zurückziehen. Am praktischsten ist es sicher, wenn der Hausaufgabenplan so aufgebaut ist wie der Stundenplan, damit man auf Anhieb erkennen kann, wie die Hausaufgaben und Unterrichtsstunden aufeinander abzustimmen sind.

Hausaufgaben wachsen mit

Der Umfang der zu Hause zu erledigenden Arbeitsaufträge wächst mit den Schuljahren an. War es zu Anfang eine halbe Stunde, so sitzen die Großen oft zwei Stunden und länger an den Hausaufgaben. Wenn Ihr Kind nur „für" die Lehrerin oder den Lehrer arbeitet, die oder den es mag, sollten Sie aufmerksam werden. Sie sollten Wege suchen, seine Selbstsicherheit und Selbstständigkeit zu fördern. Mit zunehmendem Alter wächst die Selbstständigkeit. War Ihre Nähe in den ersten Jahren noch sehr erwünscht, stört sie bei

14-Jährigen meist eher. Ihr Interesse wird oft als nervig abgetan. Das ist „normal" in der Ablösungsphase. Oft bleiben Ihnen nur die Lehrer und Lehrerinnen als Verbündete gegen die kleinen Rebellen. Fragen Sie von Zeit zu Zeit nach, wenn Sie beunruhigt sind, ob denn alles mit rechten Dingen zugeht. Lehrkräfte bieten auch jenseits der Elternsprechtage Sprechstunden an, in denen sie Ihnen sicher gern Auskunft über die Entwicklung Ihres Sprösslings geben werden.

Bei Heranwachsenden können Sie Probleme nicht mehr für sie, sondern nur mit ihnen gemeinsam lösen.

Mit der Pubertät kommen vielleicht erhebliche Turbulenzen auf Sie und Ihre Familie zu. Natürlich bleiben davon auch die schulischen Leistungen nicht unbeeinträchtigt. Während sich Schulprobleme bei jüngeren Schulkindern noch vergleichsweise harmlos in Bauchschmerzen oder Schlafstörungen niederschlagen können, wachsen sie sich bei Jugendlichen oft bis zur Schulverweigerung aus. Sie verweigern dann unter Umständen nicht nur die Hausarbeiten, sondern überhaupt den Besuch der Schule. In einem Alter, in dem Sie Ihren Einfluss zunehmend verlieren, ist dies natürlich doppelt schwierig. Achten Sie darum auf Alarmsignale und sprechen Sie Ihre Tochter oder Ihren Sohn rechtzeitig an, wenn Sie ein Problem erahnen.

Hausaufgaben außer Haus

Es ist keineswegs so, dass alle Kinder ihre Hausaufgaben zu Hause erledigen. Manche besuchen eine Ganztagsschule, andere öffentliche Betreuungseinrichtungen, etwa einen Hort. Die Arbeit an den Hausaufgaben verläuft auch hier nicht immer reibungslos. Darüber hinaus kann es geraten sein, sich Hilfe bei Dritten zu holen, um gegebene Probleme zu umgehen.

Hausaufgaben im Hort

Ein Teil der Grundschulkinder oder Schüler in Ganztagsschulen erledigt die Hausaufgaben überwiegend im Hort oder in der Schule mit begleitender Unterstützung von Erziehern, Sozialarbeiterinnen oder anderen Hausaufgabenhelfern. Vermeiden Sie unnötige Reibereien mit Ihrem Kind. Setzen Sie keinesfalls durch, dass Ihre Sprösslinge abends zu Hause nacharbeiten. Bewahren Sie Ihre Energie lieber dafür auf, vernünftige Absprachen und Regelungen zwischen Ihnen, dem Hort und/oder der Schule zu treffen:

- Wie sind die Arbeitsmöglichkeiten im Hort/in der Schule?
- Findet Ihr Kind genügend Ruhe?
- Welche Zeiten sind für die Hausaufgaben vorgesehen? Passen die vorgesehenen Hausaufgabenzeiten für Ihr Kind?
- Halten die Betreuenden Kontakt zur Schule?
- Welche Verabredungen gibt es mit Ihnen, falls noch nicht alles erledigt ist?

In weiterführenden Ganztagsschulen wird die zusätzliche Erledigung häuslicher Arbeiten erwartet. Deren Umfang ist dann aber geringerer als der „normaler" Hausaufgaben. Und in Ausnahmefällen bleibt sicher auch etwas unerledigt für zu Hause.

Die Empfehlungen für den Umgang mit Hausaufgaben gelten natürlich auch für die Betreuerinnen in den Einrichtungen. Auch sie sind nicht gefeit gegen das schnellere Vorsagen oder Einhelfen anstelle der Hilfe zur Selbsthilfe, gegen die Selbstbestätigung durch die Hilfslehrerrolle. Ihre Bindung zu den Kindern ist weniger eng und deshalb nicht so anfällig für Beziehungsstörungen.

Beispiel aus der AV Hausaufgaben für Berlin:

(3) Auch in den Ganztagsschulen erhöht sich mit aufsteigenden Klassenstufen die Notwendigkeit, Aufgaben außerhalb des Unterrichts zu bearbeiten. Während in der Grundstufe der Ganztagsschulen Hausaufgaben nach Möglichkeit zu vermeiden sind, dürfen Hausaufgaben in den Klassenstufen 7 und 8 im Umfang von bis zu 180 Minuten wöchentliche Arbeitszeit, in den Klassenstufen 9 und 10 im Umfang von bis zu 240 Minuten wöchentliche Arbeitszeit erteilt werden.

Es kann sehr entlastend sein, wenn Kinder ihre Hausaufgaben nicht zu Hause erledigen.

Wenn Kinder zwischen den Stühlen sitzen

Die Elternvertreterin des Hortes ruft bei der Leitung an. Einige Eltern haben sich beklagt, dass es sehr ärgerlich sei, dass der Hort seine Zeiteinteilung verändert habe. Die Hausaufgaben werden seit kurzem ab 15.30 Uhr betreut. Sie möchten eine Referentin für einen Elternabend zum Thema „Hausaufgabenbetreuung im Hort" einladen, weil sie die entstandenen Probleme nicht allein lösen können. Im Verlauf des Elternabends stellt sich Folgendes heraus: Die Horterzieherinnen hatten keine Möglichkeit mehr für eine pädagogisch sinnvolle Hortarbeit gesehen, weil ein Teil der Eltern seine Kinder immer oder an mehreren Tagen schon gegen 15 Uhr abgeholt hatte. Bis dahin waren dann individuelle Verschnaufpausen der Kinder, das Mittagessen und die Hausaufgaben, sozusagen „die Pflicht", erledigt. Ein gemeinsames außerschulisches Programm – „die Kür"– ließ sich nicht mehr unterbringen.

In Übereinstimmung mit den meisten Eltern wurde deshalb entschieden, dass gemeinsame Aktivitäten vor 15.30 Uhr stattfinden können – nicht täglich, aber doch häufiger. Der Hausaufgabenraum steht immer zur Verfügung. Wer aber Unterstützung braucht, erhält sie ab 15.30 Uhr.

Das war einigen Eltern nicht recht, die ihre Kinder früher abholen und trotzdem keinen Hausaufgabenstress mehr haben wollten. Sie beharrten darauf, dass das Prinzip „Erst die Arbeit, dann das Vergnügen" das Beste sei – ohne Rücksicht auf den Rhythmus ihres Kindes, wie sich im Verlauf des Abends herausstellte.

Das Problem war nicht zu lösen. Die betreffenden Eltern bestanden auf der „alten" Regelung. Die Einrichtung wollte sich aber keinesfalls als reine Serviceeinrichtung verstehen, in der jedes Kind kommt und geht, wann es der Schule oder den Eltern passt.

> **Tipp**
>
> Wenn Sie mit der Situation im Hort oder mit der Hausaufgabenbetreuung in der Schule nicht zufrieden sind, sollten Sie etwas dagegen unternehmen:
>
> - Besuchen Sie die (Hort-) Elternabende.
> - Sorgen Sie dafür, dass beim Elternabend in der Schule zum Thema „Hausaufgaben" die Betreuerinnen aus dem Hort eingeladen werden.

Mit diesem Beispiel wird deutlich gemacht, wie schwierig es manchmal ist, Kompromisse zu finden. In vielen Gegenden Deutschlands sind Hortplätze so rar, dass Eltern es gar nicht wagen, auf das Konzept Einfluss nehmen zu wollen oder ihre Wünsche anzumelden.

Wo gibt es sonst noch Hausaufgabenbetreuung?

Hortplätze sind rar, zumindest in den westlichen Bundesländern. Bereits für die 11-Jährigen gibt es kaum noch hortähnliche Betreuungsangebote. Viele Eltern können ihren Kindern aber gar nicht oder nur schlecht bei den Hausaufgaben helfen, zum Beispiel wenn sie nichtdeutscher Herkunft sind. Die Familien- oder Wohnsituation kann das ungestörte Arbeiten erschweren, zum Beispiel dann, wenn sich mehrere Kinder ein Zimmer teilen. Die Kinder brauchen dann einen Ort, an dem sie Unterstützung finden. Für Geld bekommen Sie sicher alles, aber gerade daran mangelt es ja in vielen Familien.

In den Richtlinien der Stadt Hamburg wird die häusliche Situation berücksichtigt:

Kinder, die zu Hause keine günstigen Voraussetzungen für ihre Hausarbeiten finden, müssen von der Schule besonders gefördert werden, gegebenenfalls auch unter Mitwirkung der Elternschaft (zum Beispiel Förderunterricht, Schularbeitskreise).
In Schleswig-Holstein können von der Schule Fördermittel für außerunterrichtliche Betreuung einschließlich Hausaufgabenbetreuung beantragt werden.

Horte oder hortähnliche Betreuungseinrichtungen haben leider häufig darunter zu leiden, dass die Schule bei Eltern Vorrang genießt. Auch von Seiten der Schule wird kaum Kooperation gesucht. Ihren Kindern zuliebe: Zeigen Sie aktives Interesse!

Hausaufgabenbetreuung nach dem Unterricht

Wenn Sie eine außerschuliche Hausaufgabenbetreuung suchen, sollten Sie sich zunächst in Ihrer näheren Umgebung umschauen: Hat die Schule Ihres Kindes ein Betreuungsangebot oder einen Schularbeitskreis?

Wenn an Ihrer Schule zwar Bedarf, aber kein Angebot für einen Schularbeitskreis besteht, sollten Sie die Initiative dazu ergreifen. Die Elternvertretung und die Schulleitung werden Sie sicher darin unterstützen, ein Angebot zu schaffen. Bei der Gründung eines Schularbeitskreises oder -zirkels gibt es einiges zu klären: Gibt es dafür finanzielle Unterstützung von der Kommune? Würde der Förderverein der Schule die Finanzierung unterstützen? Gibt es Eltern, Lehrer oder Schüler/Schülerinnen höherer Klassen, die eine solche Aufgabe kostenlos oder gegen ein geringes Honorar übernehmen würden? Viele Einrichtungen von öffentlichen oder freien Trägern (Kirche, Vereine) bieten nach dem Kinder- und Jugendhilfegesetz (KJHG) eine Hausaufgabenunterstützung an. Gibt es ein solches Freizeitangebot, einen Kinderclub, einen Schülerclub, ein Jugendfreizeitheim in Ihrer Nähe?

Sie können selbst dafür Sorge tragen, dass geeignete Angebote ins Leben gerufen werden.

Eltern, die selbst nicht gut Deutsch sprechen, könnten Sie gegebenenfalls unterstützen: Gibt es eine Schularbeitshilfe für Kinder mit unzureichenden Deutschkenntnissen? In manchen Bundesländern gibt es für Kinder nichtdeutscher Herkunft besondere Fördermittel. Für Aussiedlerkinder gibt es Mittel aus dem Sozialfond. Migrantenvereine und -initiativen bieten häufig Unterstützung bei den Hausaufgaben an. Wenn die Eltern überfordert sind, bekommen sie möglicherweise Unterstützung vom Jugendamt, zum Beispiel durch sozialpädagogisch betreute Gruppenangebote oder von Einzelfallhelfern. Manchen Eltern fällt es schwer, solche Hilfen in Anspruch zu nehmen. Manchmal reicht aber die Unterstützung von Seiten der Lehrer oder der Lehrerinnen oder vertrauter Eltern beim ersten Kontakt zum Amt. Es geht schließlich um nichts weniger als die Zukunft der Kinder.

Nachbarschaftshilfe

Manchmal können die Probleme mit den Hausaufgaben gelöst werden, indem sich die Kinder mit Freunden zusammensetzen und die Hausaufgaben gemeinsam lösen.

■ **Tipp**

„Kindertausch" bei den Hausaufgaben vermindert Stress. Sie sind souveräner und lassen sich nicht so leicht aus dem Konzept bringen. Familiäre Reibereien können so vermieden werden.

Geschieht dies nicht von allein, können Sie versuchen, eine kleine Hausaufgabenrunde zusammenzuführen. Vereinbaren Sie mit den Eltern, dass deren Kinder bei Ihnen gemeinsam mit Ihrem Kind Hausaufgaben machen können oder umgekehrt. Wenn Ihr Kind und sein Gast ähnliche kleine Probleme im Schreiben, Lesen oder Rechnen haben, dann werden Sie in dessen Anwesenheit sicher mehr Geduld entwickeln.

Trauen Sie sich ruhig, sprechen Sie die betreffenden Eltern an. Nehmen Sie dabei keine Rücksicht auf „gesellschaftliche" Überlegungen, sondern stellen Sie die Belange der Kinder in den Vordergrund. Schlimmstenfalls riskieren Sie eine Absage, was bestimmt kein Beinbruch für Sie sein wird.

Nachbarschaftshilfe kann sich aber auch völlig anders gestalten. Vielleicht kennen Sie in der Nähe jemanden, dem Sie vertrauen und den Sie um Hilfe bitten können? Was kann es Sie kosten, außer etwas Mut? Haben Sie vielleicht eine Nachbarin, die etwas Zeit zur Hausaufgabenhilfe hat? Gibt es Eltern im Erziehungsurlaub, die oder der vom Baby noch nicht völlig ausgelastet ist? Sie finden sicher etwas, womit Sie sich für die Unterstützung revanchieren können: gelegentliche Einladungen oder Babysitting.

Kommerzielle Hausaufgabenbetreuung

Wenn Sie es finanziell einrichten können, zumindest für eine befristetete Zeit eine Hausaufgabenhilfe für Ihr Kind zu verpflichten, können Sie ein Nachhilfeinstitut ausfindig machen. Diese bieten mitunter auch eine Hausaufgabenbetreuung.

In der Pubertät sind Lernprobleme und Beziehungskonflikte zwischen Eltern und Kindern besonders häufig und heftig. Beide Seiten brauchen Unterstützung, um daran zu wachsen.

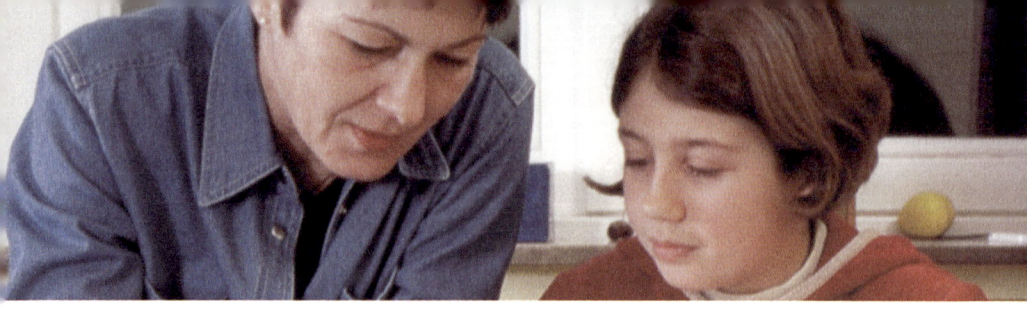

Was tun, wenn Lücken da sind?

Wenn Ihr Kind durch längere Krankheit, kleinere oder größere Probleme in Rückstand gerät, merken Sie das sicher an den Noten. Aber auch bei den Hausaufgaben tauchen andere Probleme auf, wenn die Grundlagen für die nächsten Lernschritte fehlen. Im günstigsten Fall sind nur Lücken entstanden, die durch zusätzliche Förderung ausgeglichen werden können. Oft geht ein Nervenkrieg zu Hause und in der Schule voraus, bis eine Seite die Initiative ergreift. Gut, wenn Sie es sind, die nach Rat und Hilfe suchen. Wenn Sie erst reagieren, wenn Sie in die Schule bestellt werden oder wenn der berühmte blaue Brief eintrifft, fällt es Ihnen sicher schwerer, den Anstoß der anderen Seite konstruktiv aufzunehmen.

Klären, welches Wissen fehlt

Es geht oft vorrangig um die Frage, wer etwas versäumt hat: Wer trägt Schuld? Ratsamer ist es jedoch, nach vorn zu blicken. Jetzt ist es allerhöchste Zeit für die Ursachenforschung, ohne Schuldzuweisungen. Versuchen Sie mit Ihrem Kind und der Lehrkraft, die Schwachstelle möglichst genau einzukreisen.

- „In welchem Fach oder in welchen Fächern treten die schlechten Noten auf?"
- „Wo genau bestehen welche Unsicherheiten?"
- „Seit wann kommt der Schüler/die Schülerin nicht mehr mit?"

Dann gilt es, sich Gedanken über die Abhilfe zu machen:

- „Was können wir gezielt unternehmen?"
- „Schaffen wir das allein?"
- „Welche Hilfe bietet die Schule?"
- „Was darf außerschulische Nachhilfe kosten? Was könnten wir uns finanziell leisten?"
- „Gibt es kostengünstige bzw. kostenlose Hilfe?"
- „Ist die Wiederholung der Klasse notwendig, lässt sie sich noch vermeiden oder ist sie gar der beste Weg zum Ziel?"
- „Sollten wir über einen Schulwechsel nachdenken?"

Diese und viele andere Fragen werden Sie sich stellen.

„Eltern sind oft schlechte Lehrer" titelte kürzlich eine Tageszeitung. Da ist viel Wahres dran, weil Eltern und Kinder sich so nahe sind – im Guten wie im Schlechten. Häufig hat die anfänglich kleine Lücke schon eine Lernstörung und Beziehungsstörungen zu Hause mit sich gebracht, bevor Hilfe gesucht wird. Dann ist es gut, sich nicht zu viel vorzunehmen.

Wissenslücken schließen

Wenn geklärt ist, dass Leistungseinbrüche auf Wissenslücken zurückgehen, muss das Augenmerk von Eltern vor allem fachlichen Fragen gelten. Es gilt zu klären, wie die Arbeitsteilung bei dem befristeten, passgenauen Förderprogramm aussehen soll:

- Welchen Zeitrahmen soll das Sonderprogramm haben und wann soll die erste Bilanz gezogen werden?
- Welchen Anteil traut sich Ihr Kind allein oder mit hilfe eines Freundes oder einer Freundin zu? Zum Beispiel: die regulären Hausaufgaben in den weniger problematischen Fächern.

Ergreifen Sie die Initiative, bevor die Schule es tut. Überlegen Sie gemeinsam, wie Ihr Sohn oder Ihre Tochter wieder aus dem Tief herauskommt.

- Welchen Part können Sie übernehmen? Zum Beispiel: die Unterstützung der regulären Hausaufgaben in den Problemfächern oder die Förderung in einem speziellen Problemfach.
- Welches zusätzliche Hilfsangebot wird gebraucht? Zum Beispiel: Nachhilfe in einem oder in mehreren Fächern.
- Welche Anlaufstellen gibt es? Zum Beispiel: Schule, Jugendberatungsstellen, Freundeskreis, Nachbarschaft, Nachhilfeeinrichtungen.
- Wer kundschaftet welche Angebote aus?
- Welche finanziellen Mittel können Sie für das Programm einsetzen?

Muss guter Rat teuer sein?

Lese-, Rechtschreib- und Mathematiklücken in der Grundschule sollten durch schulischen Förderunterricht ausgeglichen werden. Zusätzlich gibt es an manchen Schulen besondere wöchentliche Schularbeitszirkel, zum Beispiel für Kinder mit Mathematikproblemen, die meist von Lehrkräften angeboten werden. Sprechen Sie in jedem Fall mit dem Lehrer oder der Lehrerin und fragen Sie nach den Möglichkeiten der „Binnendifferenzierung" im Unterricht. Die Richtlinien fast aller Bundesländer halten fest, dass jedes Kind „dort abgeholt werden muss, wo es steht".

Suchen Sie nach passgenauen Angeboten für das Fach, die Fächer, in denen Ihr Kind Lücken hat.

Gehen Sie zunächst offen auf den Lehrer oder die Lehrerin Ihres Kindes zu und erkundigen Sie sich, wie er oder sie die Lernsituation Ihres Kindes beurteilt. Sind die Voraussetzungen geklärt, sind Sie sich also einig, dass ein bestimmtes Problem besteht, dann fragen Sie gezielt nach, wie diesem im Unterricht zu begegnen ist. Sie müssen sich nicht allzu zurückhaltend zeigen, denn es ist das Recht Ihres Kindes, einen ihm angemessenen Unterricht zu erfahren. Dies ist natürlich für die Lehrkräfte eine große Herausforderung und sie schätzen es meist nicht sehr, von den Eltern gefordert zu werden. Wenn Sie erkennen, dass Ihr Gegenüber mauert, sich also nicht darauf einlassen will, die unterrichtlichen Fördermöglichkeiten für Ihr Kind mit Ihnen zu besprechen, dann sollten Sie sich Unterstützung suchen. Sprechen Sie die Elternvertretung der Klasse an und suchen Sie gegebenenfalls den Rat der Schulleitung. Sollte dies alles nichts fruchten, gibt es eine Reihe weitergehender Möglichkeiten, die aber zunächst sicher nur Energie an der falschen Stelle kosten. Bevor Sie den Dienstweg eines Lehrers mit dem Ziel einer Verhaltensänderung durchmessen haben, hat Ihr Kind längst die Schule gewechselt und sicher keine angemessene Unterstützung bei seinen Problemen erfahren. Haben Sie das sichere Gefühl, dass es Ihrem Kind in einer Klasse nicht gut geht, sollten Sie lieber einen Wechsel der Klasse oder auch der Schule erwägen.

Insbesondere Grundschulunterricht ist so zu gestalten, dass sowohl schwächere als auch leistungsstärkere Kinder durch unterschiedliche Angebote auf ihre Kosten kommen.

Erst wenn die schulischen Hilfen ausgeschöpft oder nicht gegeben sind, sollten Sie sich auf die Suche nach zusätzlichen außerschulischen Angeboten machen. Spezielle Therapien bei Lese-Rechtschreib- oder Mathematikschwäche sind kostenpflichtig und werden nur unter bestimmten Bedingungen finanziert. In Berlin muss zum Beispiel die Schule bescheinigen, dass ihre Fördermöglichkeiten ausgeschöpft sind. Informieren Sie sich bei den schulpsychologischen Diensten vor Ort über die für Ihren Wohnort geltenden Bestimmungen.

◀ Wissenslücken müssen zusätzlich zum Unterrichtsstoff und zu den regulären Hausaufgaben geschlossen werden; die zeitliche Belastung ist zu bedenken.

Eine neue Chance kann helfen

Lernlücken zu füllen hat immer etwas mit einem Schritt zurück, mit einem Neuanfang oder einer zusätzlichen Anstrengung zu tun. Sie müssen herausfinden, welche Lösung die beste für Ihr Kind ist. Suchen Sie nach dem passenden Weg für die Lösung des Lernproblems und nehmen Sie eine Beratung in Anspruch.

Bei der Wiederholung einer Klasse oder dem Wechsel der Schule oder des Schulzweigs besteht die Möglichkeit, dass Ihr Kind Zeit hat, seine Wissenslücken zu schließen, damit es wieder Boden unter die Füße bekommt. Ihre Aufgabe ist es dann eher, das Selbstwertgefühl Ihres Kindes zu fördern. Die wichtigste Voraussetzung für das Gelingen eines solchen Schrittes ist, dass Sie ihn positiv bewerten. Suchen Sie gemeinsam gute Argumente dafür, dass die gewählte Lösung von allen die beste ist. Nehmen Sie sich gemeinsam vor, in Zukunft besser aufzupassen und schneller zu reagieren.

> **Das Wichtigste ist, dass Ihr Kind während der Grundschulzeit trotz aller Rückschläge die Freude am Lernen nicht verliert. Stärken Sie es in seinen Erfolgen, wo immer Sie können.**

Wenn sich herausstellt, dass Ihr Kind seine Schule ohne Nachhilfeunterricht nicht erfolgreich besuchen kann, sollten Sie prüfen, ob Sie die richtige Schulform gewählt haben. Vielleicht haben Sie in Ihrem berechtigten Wunsch nach dem bestmöglichen Schulabschluss das derzeitige Leistungsvermögen Ihres Kindes überschätzt? Überzeugen Sie sich davon, dass unser Schulsystem offen genug ist, auch später im Leben noch zu höheren Abschlüssen zu kommen, wenn Ihr Kind, vielleicht als junger Erwachsener, den Kopf dafür frei hat.

Aber es muss gar nicht so weit kommen, das Ihr Kind die Schule wechseln muss, es können durchaus auch andere Lösungswege gesucht werden. Das Wiederholen einer Klasse ist nicht in jedem Falle notwendig oder sinnvoll.

Bringen Sie auch bei Heranwachsenden in den höheren Klassen immer erst in Erfahrung, welche schulinternen Fördermöglichkeiten es gibt. Wenn es eine erreichbare Jugendberatungseinrichtung gibt, finden Sie dort unter Umständen auch für einzelne Fächer Fördermöglichkeiten. Ganz sicher aber bekommen Sie und Ihr Kind dort Rat und Unterstützung.

Nachhilfe – ein Kapitel für sich

Wenn Sie es sich finanziell leisten können, haben Sie die Wahl zwischen kommerziellen Nachhilfeinstituten und jemandem, den Sie privat über Anzeigen, Aushänge an Hochschulen oder Empfehlung finden und verpflichten. In beiden Fällen geht es um eine vertragliche Vereinbarung über eine bestimmte Leistung.

Wenn Sie bis hierher unseren Vorschlägen kleinschrittig gefolgt sind, dann haben Sie sich inzwischen gezielt mit dem Leistungsstand und dem Leistungsvermögen Ihres Sohnes oder Ihrer Tochter auseinander gesetzt. Sie können den Förderbedarf konkret benennen und Sie können den Zeitraum eingrenzen, in dem die gewünschte Leistung erbracht sein sollte.

Nachhilfeinstitute bieten Ihnen Einzel- oder Kleingruppenförderung an. Sie legen in der Regel vorbereitete Verträge mit Preisen vor, an denen Sie sich auch für private Nachhilfelehrer orientieren können. Mit 15,– bis 20,–Euro pro (Unterrichts-)Stunde müssen Sie mindestens rechnen. Die Verträge sollten Sie sorgfältig prüfen, die Vertragsfristen sind oft lang. Sie sind sicher gut beraten, eine Probezeit zu vereinbaren. Mit einer selbst engagierten Nachhilfekraft müssen Sie die Bedingungen selbst aushandeln. In jedem Fall sollten Sie auch hier eine Probezeit oder zumindest Probestunden vereinbaren, bevor Sie eine längerfristige Vereinbarung unterschreiben.

Vielleicht gibt es in Ihrem Freundes- oder Bekanntenkreis jemanden, der sich in dem Problemfach gut auskennt und der vorübergehend umsonst oder für einen geringen Stundensatz die Förderung übernehmen würde?

Ausführliche Hinweise und Anregungen für die Wahl einer geeigneten Nachhilfe finden Sie in einem weiteren Band der Cornelsen Eltern-Sprechstunde: W. Kowalczyk / K. Ottich: Nachhilfe – Wo sie hilft, was zu beachten ist. Cornelsen Scriptor 2002.

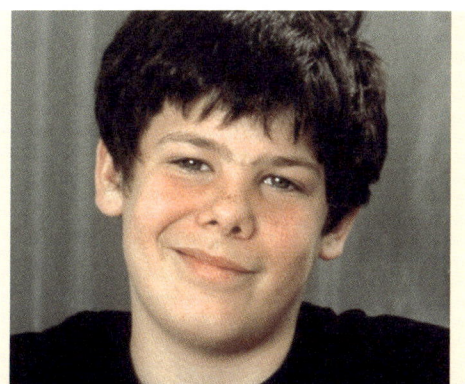

Kinder sind untereinander nicht immer sehr feinfühlig. Wenn sich das Zurücksetzen mit dem Wechsel der Schule – nicht der Schulform – verbinden lässt, ist es für Kinder manchmal leichter zu verkraften.

Warum eigentlich
Hausaufgaben?

Hausaufgaben spielen für das schulische Lernen eine nicht unwesentliche Rolle. Durch sie wird zusätzliche Übungszeit gewonnen, Stoff wird vor- oder nachbereitet, das selbstständige und eigenverantwortliche Erledigen von Arbeitsaufträgen wird eingeübt. Der Zweck der Hausaufgaben ist in den Vorschriften und Richtlinien der einzelnen Bundesländer geregelt.

In Niedersachsen heißt es zum Beispiel:

Hausaufgaben ergänzen den Unterricht und unterstützen den Lernprozess der Schülerinnen und Schüler. Je nach Altersstufe, Schulform, Fach und Unterrichtskonzeption kann die Hausaufgabenstellung insbesondere auf
- die Übung, Anwendung und Sicherung im Unterricht erworbener Kenntnisse, Fertigkeiten und spezifischer Techniken,
- die Vorbereitung bestimmter Unterrichtsschritte und -abschnitte oder
- die Förderung der selbstständigen Auseinandersetzung mit Unterrichtsgegenständen und frei gewählten Themenausgerichtet sein.

Schule ist in Deutschland so organisiert, dass sie nicht alle Anforderungen im Rahmen der Unterrichtszeit erfüllen kann. Deshalb muss in der außerschulischen Zeit zusätzlich für die Schule gelernt werden. Aus Sicht der Eltern kann dies sinnvoll sein oder Kritik hervorrufen. Sie sollten einiges wissen, um angemessen beurteilen zu können, bis zu welchem Punkt Aufwand und Ertrag in einem ausgewogenen Verhältnis zueinander stehen. Eltern vertreten in Bezug auf Hausaufgaben unterschiedliche Meinungen:

- Manche Eltern sind froh über Hausaufgaben, weil sie die Kinder beschäftigen und vom Fernsehen, anderen „Dummheiten" oder der Straße fernhalten. Allerdings: Ist es nicht eher die Aufgabe der Eltern, für eine sinnvolle Freizeitgestaltung zu sorgen?
- Dann gibt es einige, denen es nicht genug Hausaufgaben geben kann, weil sie sich Sorgen um die Zukunft ihrer Kinder machen und der Schule zu wenig Leistung zutrauen. Allerdings: Ist es wirklich so, dass die außerschulische Förderung gerade aus der Fortsetzung der Schule zu Hause bestehen muss, gibt es nicht „intelligentere" Wege, die Neugier und Lernbereitschaft der Kinder zu erhalten und zu fördern?
- Andere Eltern ärgern sich über Hausaufgaben, wenn sie das Gefühl haben, dass Unterrichtsausfall infolge fehlender Lehrer auf die Familien abgewälzt werde. Das ist sicher nicht ganz von der Hand zu weisen, allerdings: Woher sollen die erforderlichen Mittel fließen? Das Geld für Bildung fällt nicht vom Himmel. Es muss erstritten und erkämpft werden.
- Eltern aus sozial benachteiligten Kreisen befürchten, dass Hausaufgaben die Bildungschancen ihrer Kinder einschränken, weil sie ihren Kindern nicht helfen können. Allerdings: Dürfen denn Hausaufgaben die Chancengleichheit überhaupt gefährden?

Wenn Sie sich für oder gegen Hausaufgaben engagieren möchten, sind die folgenden Hintergrundinformationen sicher eine zusätzliche Orientierungshilfe.

Hausaufgaben in der Diskussion

In der Schule, zu Hause, in den Medien und unter Wissenschaftlern wird immer wieder über die Vor- und Nachteile von Hausaufgaben gestritten. Es werden Argumente angeführt, die von der positiven Wirkung bis zur Unsinnigkeit alle Facetten aufweisen. Ein Beispiel für die Schwierigkeiten der Diskussion gibt die Pressemitteilung zu einer Studie des Max-Planck-Instituts für Bildungsforschung über die Wirkung von Hausaufgaben im Fach Mathematik in der siebten Klasse.

Hausaufgaben in der Schule: unnütz und ungerecht?

Hausaufgaben sind ein fester Bestandteil des Unterrichts in deutschen Schulen, obwohl Forschungsarbeiten in Deutschland bislang wenig Beweise für ihre Nützlichkeit erbrachten. Kritiker der gängigen Hausaufgabenpraxis bezweifeln, dass Hausaufgaben positive Auswirkungen auf die Leistung haben, befürchten, Hausaufgaben könnten schwache Schüler und Schüler mit ungünstigem sozialen Hintergrund benachteiligen und weisen auf mögliche negative Auswirkungen von Hausaufgaben beispielsweise auf die Interessenentwicklung der Schüler hin.

Dagegen billigen, wie frühere Studien zeigen, die betroffenen Schüler und Eltern den Hausaufgaben – trotz manchen Frustes, den sie mit ihnen erleben – überwiegend einen wichtigen Beitrag für die Leistungsentwicklung zu.

In einer durch das Berliner Max-Planck-Institut für Bildungsforschung durchgeführten Studie mit 2123 Schülerinnen und Schülern aus 132 Klassen der Sekundarstufe I finden sich für das Unterrichtsfach Mathematik Belege für die Wirksamkeit von Hausaufgaben: Regelmäßige Hausaufgaben übten einen förderlichen Einfluss auf das Leistungsniveau aus. Besonders umfangreiche Hausaufgaben hatten dagegen einen gegenteiligen Effekt, führten jedoch zu einer Homogenisierung der Leistungen innerhalb einer Klasse. Keine Belege ließen sich dafür finden, dass Kinder mit höherem sozioökonomischen Hintergrund in besonderem Maße von Hausaufgaben profitieren.

Eine zu starke Beaufsichtigung der Hausaufgaben durch Eltern oder andere Familienangehörige erwies sich als kontraproduktiv hinsichtlich der Leistungsentwicklung: In der Regel zeigte von zwei Schülern mit ähnlichem Wissensstand zu Beginn der 7. Schulklasse am Ende des Schuljahres derjenige die höheren Wissenszuwächse, der primär selbst für die Erledigung seiner Hausaufgaben sorgte.

Im Hinblick auf die Entwicklung von Interesse am Fach Mathematik zeigte sich unter anderem, dass sich das Interesse derjenigen Schüler einer Klasse, die am längsten für die Hausaufgaben brauchen, am ungünstigsten entwickelt. Die Häufigkeit der Hausaufgaben und deren Menge hatte dagegen keinen Einfluss darauf, wie sich das Interesse eines Schülers am Fach entwickelte.

Obwohl die vorliegende Studie insgesamt die positiven Wirkungen von häufigen Hausaufgaben belegt, regen die Daten auch weitere Forschung an. Das Ergebnis, dass umfangreichere Hausaufgaben in den untersuchten Klassen tendenziell mit *weniger* Lernfortschritt einhergehen, zeigt die Notwendigkeit, die Art und Qualität von Hausaufgaben sowie die damit verfolgten Ziele zu thematisieren. Wiederholt ist vermutet worden, dass Lehrerinnen und Lehrer bei der Unterrichtsplanung die Hausaufgaben sowie ihre Gestaltung möglicherweise nicht optimal behandeln, was wiederum bereits Folge von Defiziten in der Lehrerausbildung sein könnte. Es sollte deshalb auch mit Vorsicht reagiert werden, wenn etwa von besorgten Eltern mehr Hausaufgaben verlangt werden. Trotz der in der vorliegenden Studie gezeigten positiven Effekte: Hausaufgaben *per se* sind keine Gewähr für das Erreichen der erwünschten Lernziele.

Wenn Kinder sich mit Aufgaben herumquälen, ist dies ein sicheres Zeichen dafür, dass mit den Aufgaben etwas nicht stimmt.

Hausaufgaben als soziale Stolperfalle?

Jedes Kind ist ein Individuum und die Kinder einer Klasse kommen aus unterschiedlichen Elternhäusern. Sie haben jedes für sich eine eigene Entwicklung durchgemacht und sie bringen verschiedene Lernvoraussetzungen mit in die Schule. In den Schulgesetzen der Bundesländer wird darauf Bezug genommen. Die allgemeinbildende Schule kann das nicht ausgleichen und alle Kinder zum gleichen Ziel führen, aber sie hat den Auftrag, für Chancengleichheit oder mehr Chancengerechtigkeit zu sorgen.

Ganz offenbar ist es nicht möglich, den Sinn oder Unsinn von Hausaufgaben in einer bestimmten Weise zu belegen. Hausaufgaben haben ganz einfach einige Vorteile und andererseits auch Nachteile.

Inwiefern können Hausaufgaben der Chancengleicheit in der Schule im Wege stehen?

- Hausaufgaben können Kinder in ihrer Lernentwicklung benachteiligen, wenn sie sie nicht ohne Hilfe anfertigen können.
- Ungünstige Lebens- und Wohnverhältnisse sowie eine fehlende ruhige Arbeitsmöglichkeit zu Hause oder in einer Einrichtung beeinträchtigen das Lernen.

In allen Länderregelungen, die etwas darüber aussagen, gilt die Vorschrift, dass Hausaufgaben selbstständig und ohne fremde Hilfe angefertigt werden können. Wenn Ihnen auffällt, dass dies bei Ihnen nicht so ist, dann sollten Sie dafür Sorge tragen, dass sich etwas verändert. Hinweise und Tipps dazu, wie dies zu bewerkstelligen ist, geben Ihnen die beiden ersten Kapitel dieses Buches.

Manchmal werden gedankenlos Aufgaben gestellt, die Kinder ausgrenzen: „Schreibe eine Erzählung: mein schönstes Ferienerlebnis" oder „Zeichne einen Grundriss eurer Wohnung oder einer Etage eures Hauses." Wie mag sich ein **Hausaufgaben dürfen Kinder nicht ausgrenzen.** Kind fühlen, das nicht verreisen kann, wenn es weiß, dass die anderen aus abenteuerlichsten Ländern berichten? Wie geht es einem Kind, das mit allein erziehendem Elternteil in einer Zweizimmerwohnung oder gar in einem Heim lebt, wenn es die Grundrisse der anderen Wohnungen an den Wänden des Klassenzimmers hängen sieht?

Jüngere Kinder nehmen soziale Unterschiede kaum wahr. Sie nehmen zunächst alles so auf, wie sie es sehen. Ein Gefühl der sozialen Bewertung reift erst mit zunehmendem Alter heran, gefördert durch die Erwachsenen – auch durch die eigenen Eltern, die vielleicht ihr Vermögen zur Schau tragen oder die sich ihrer Armut schämen. Kindern in einer Klasse bleiben die unterschiedlichen Lebensverhältnisse natürlich auch nicht verborgen. Es liegt an den Erwachsenen, Lehrern wie Eltern, die spannenden Seiten eines jeden Kindes ins rechte Licht zu rücken und mit zunehmendem Alter Angebereien und der sozialen Ausgrenzung unter den Kindern Grenzen zu setzen.

Geht es auch ohne Hausaufgaben?

Wenn Sie Hausaufgabenstress haben, träumen Sie vielleicht von der Ganztagsschule, aus der Ihr Kind vielleicht erledigt, aber ohne Erledigungen nach Hause kommt. Die Schule in Deutschland ist aber nicht einmal wirklich eine Halbtagsschule. Nur in den Grundschulen der östlichen Bundesländer können Eltern mit einem Betreuungsangebot in der Schule oder im Hort rechnen.

Wenn Lehrkräfte fehlen, fällt Unterricht aus. Unterrichtszeit ist knapp bemessen, jede Stunde mehr für eine Klassenstufe in einem Land kostet Millionen. Die Rahmenpläne sind voll gestopft und im Interesse der wirtschaftlichen und gesellschaftlichen Entwicklung werden ständig neue zusätzliche Anforderungen gestellt. Ein solides Grundwissen und die Aneignung von Lernstrategien braucht aber Zeit – nicht bei jedem Kind gleich viel, in der Regel aber mehr, als die Schulstunden hergeben.

Es gibt zwar eine Schulpflicht für Kinder, aber keine Unterrichtsverpflichtung für die Schule.

Offenere, binnendifferenzierte Unterrichtsformen – zum Beispiel Wochenplanarbeit – ermöglichen schon eine Menge Reduzierung und Differenzierung bei den Hausaufgaben. Wenn Kinder ihre individuelle Übungszeit bekommen können, ohne andere dadurch zu langweilen oder zu hetzen, ist schon viel gewonnen.

Die Unterrichtsmethoden bestimmen die Lehrkräfte weitgehend selbst. Sie werden nicht „von oben" verordnet, sondern allenfalls empfohlen. Es lohnt deshalb, in der Schule darüber zu reden. Vom Prinzip her gilt das natürlich auch für weiterführende Schulen.

Überwiegender Frontalunterricht schränkt die individuellen Lernmöglichkeiten ein.

Es lässt sich beobachten, dass die offenen Lernmethoden im Fachunterricht noch nicht sehr verbreitet sind. Das liegt sicher auch an dem sehr einschränkenden System des Unterrichts im Dreiviertelstundentakt. An einigen weiterführenden Schulen, insbesondere an Gesamtschulen, wird inzwischen das so genannte 50-Minuten-Modell erprobt. Die Unterrichtsstunden dauern fünf Minuten länger als üblich. Diese Zeit soll als Übungszeit genutzt werden. Damit lassen sich die Hausaufgaben reduzieren.

Gemeinsames ▶
Lernen fördert
die Teamfähig-
keit.

Aufgaben statt Hausaufgaben

Manche Lehrer unterscheiden zwischen Hausaufgaben und Aufgaben. Hausaufgaben geben sie auf, Aufgaben wählen die Kinder
selbst. Diese Unterscheidung wird gemacht, obwohl
auch diese Aufgaben zu Hause erledigt werden. Das
kommt Ihnen vielleicht etwas spitzfindig vor, aber diese Lehrerinnen und Lehrer haben die Erfahrung gemacht, dass Kinder diese selbst gewählten Aufgaben
selbstständiger und mit besserem Lernerfolg erledigen.

**Selbst gewählte
Aufgaben werden
lieber erledigt, als
„aufgegebene".**

Da ist sicher etwas dran. Die Lehrer und Lehrerinnen sollten mit
den Eltern über ein solches Verfahren reden, denn dann können
beide Seiten zum Wohle des Kindes den Lernprozess besser beobachten und fördern.

Verlässliche Schulen

Eine der derzeit unumstrittensten Forderungen von Elternseite ist
die nach einer verlässlichen Halbtagsschule, auch Betreuungs-
schule oder Schule mit verlässlichen Öffnungszeiten genannt.
Mehrere Bundesländern haben sich dahin auf den Weg gemacht.
Den Eltern und den außerschulischen Betreuungseinrichtungen
soll damit eine größere Planungssicherheit gegeben werden und

die Berufstätigkeit insbesondere von Müttern soll erleichtert werden. Ist ein solches Konzept an der Schule Ihrer Kinder angedacht, lässt sich auf diesem Weg im Interesse der gesamten Schülerschaft zumindest teilweise eine Hausaufgabenbetreuung integrieren.

Über den Sinn oder Unsinn von Hausaufgaben

Sicher haben Sie sich auch schon einmal über eine Hausaufgabe geärgert, weil Sie sie unsinnig fanden. Was war es, das Sie geärgert hat? Fallen Ihnen spontan die Rechenpäckchen ein? Sicher haben Sie sich aber nicht wegen der Rechenpäckchen an sich geärgert, sondern deshalb, weil Ihr Kind sich damit gequält hat.
Beim Üben scheiden sich häufig die Geister. Ist es nun zu verteufeln oder unumgänglich? Wie immer gibt es kein Entweder-oder, die Wahrheit liegt dazwischen.

Üben und Festigen kann Spaß machen
Es ist ganz „normal", dass Kinder das, was sie gerade lernen, bei der Körperbeherrschung, beim Sprechen und auch beim Schreiben üben, bis sie sicher sind. Sie erinnern sich doch sicher noch, dass Ihr Kind früher neue Wörter und Geschicklichkeiten stundenlang wiederholt hat. Kinder haben auch kein Problem damit, immer wieder dieselbe Musikkassette, dieselbe Geschichte zu hören, auch wenn Sie Ihnen unterwegs im Auto längst auf die Nerven damit gehen. Es sind eher die Erwachsenen, die ständig Abwechslung und Neues suchen. Das Sich-auf-etwas-Einlassen der Kinder, das sie in ihrem eigenen Tempo tun, wird dadurch oft beeinträchtigt.
Diese Lust am Wiederholen dauert bei jedem Kind unterschiedlich lange und sie nimmt ab, wenn die neue Fertigkeit zum festen Repertoire gehört. Dann wird weiteres Üben sinnlos, langweilig und eher schädlich. Es gibt unterschiedliche Formen des Übens. Das „stupide" Automatisieren gehört genauso dazu wie so genanntes operatives Üben, mit dem das Anwenden von bereits Gelerntem auf die verschiedenste Weise erprobt wird,

Hausaufgaben können nur in Verbindung mit dem Unterricht und der Lernentwicklung des einzelnen Kindes beurteilt werden.

wobei man wiederum erkennen kann, ob das Prinzip verstanden worden ist. Wie, glauben Sie, geht es Schüler und Schülerinnen, bei denen ein neuer Lernschritt schon längst „sitzt" und die trotzdem noch weitere Seiten füllen müssen? Mich erinnert das daran, dass in der Schule mancher Stoff so lange durchgekaut wurde, bis mir auch das liebste Theaterstück, das interessanteste Buch verleidet war. Beobachten Sie das bei Ihren Kindern heute auch noch?

Das Einmaleins auswendig zu lernen, bevor ein Kind die Multiplikation begriffen hat, macht wenig Sinn.

Automatisieren erleichtert das Leben. In Form von Auswendiglernen steht es nicht mehr so hoch im Kurs. Von wie vielen Liedern können Sie noch mehr als die erste Strophe? In welchem Alter und wo haben Sie die Lieder gelernt? Am Einmaleins, ein paar Formeln und den Vokabeln sind Sie aber nicht vorbeigekommen. Sinnlos ist allerdings mechanisches Auswendiglernen und Anwenden von Formeln und auch des Einmaleins, bevor das Prinzip verstanden wurde. Das rächt sich in gutem Unterricht, der aufeinander aufbaut, oder spätestens im „richtigen Leben". Selbst Vokabeln allein nützen für das Beherrschen einer Sprache nichts.

Oberstes Ziel: selbstständig lernen lernen

Es würde zu weit führen, hier die Vielfalt der Lerntechniken vorzustellen, die Kindern helfen können. Es gibt im Buchhandel einige gute Bücher zum Thema „Lernen lernen", die sich an Eltern oder die Schülerinnen und Schüler selbst richten. Ihr Buchhändler berät Sie sicher gern. Die Richtlinien der Bundesländer geben höchst Unterschiedliches zum Sinn oder Unsinn von Hausaufgaben her. Eigenes Entdecken steht höher im Kurs als Übungsaufgaben. Dagegen werden Aufträge zur Erkundung meistens „freiwillig" erledigt.

> **Tipp**
>
> Wenn Sie den Verdacht haben, dass bestimmte Hausaufgaben wenig Sinn machen, für Ihr Kind gerade nicht zuträglich sind, sprechen Sie mit der Lehrerin oder dem Lehrer darüber und bitten Sie um eine Begründung. Sie haben das Recht dazu und als interessierte Eltern geradezu auch die Pflicht.

Auch deshalb unterscheiden Lehrer manchmal zwischen Aufgaben und Hausaufgaben. Eine Voraussetzung für das Gelingen derartiger Aufgabenstellungen ist, dass die Schüler sie auch tatsächlich selbstständig erledigen können, dass sie mit den notwendigen Hilfsmitteln und Techniken vertraut sind.

Sinnvolle Hausaufgaben sollen:	
selbständig angefertigte Hausaufgaben sein	Baden-Württemberg, Brandenburg, Berlin, Hessen, Mecklenburg-Vorpommern (Grundschule), Rheinland-Pfalz, Sachsen, Sachsen-Anhalt
üben, festigen, vertiefen	Baden-Württemberg, Brandenburg, Hamburg, Hessen, Mecklenburg-Vorpommern, Niedersachsen, Sachsen-Anhalt, Thüringen
den Unterricht vorbereiten	Berlin, Brandenburg, Hamburg, Hessen, Mecklenburg-Vorpommern (Grundschule, Realschule), Niedersachsen, Sachsen-Anhalt, [Bayern]
selbstständig lernen lehren	Baden-Württemberg, Berlin, Brandenburg, Hamburg, Mecklenburg-Vorpommern (Grundschule), Niedersachsen, Thüringen, Sachsen-Anhalt, [Bayern]
Hausaufgaben müssen arbeitsökonomisch sinnvoll sein	Hamburg

Das Gegenteil davon sind dann sicher sinnlose oder unsinnige Hausaufgaben und außerdem wird „geistloser Drill" (Hamburg) angeführt.

Unzulässige Hausaufgaben sind:	
Strafarbeiten Mittel zur Wahrung der Disziplin	Berlin, Bremen, Hamburg, [Bayern]
Ersatz für ausgefallenen Unterricht	Berlin, [Bayern]

Anmerkung: Bayern wird in eckiger Klammer angeführt, weil die zitierte Vorschrift nicht mehr in Kraft ist, aber noch als Orientierung verwendet werden kann.

Zusammenarbeit zwischen Schule und Eltern

Hausaufgaben werden in der Schule für zu Hause aufgegeben. Schularbeiten werden zu Hause für die Schule erledigt. Diese beiden Begriffe gibt es nicht zufällig. So wie ein Geldstück ... von jeder Seite betrachtet anders aussieht, so auch die häusliche Lernarbeit. Lehrkräfte geben Hausaufgaben auf und bauen auf dem Geübten und Erarbeiteten in der Schule anschließend auf.

Schüler und Schülerinnen und ihre Eltern müssen Hausaufgaben in ihr privates Familienleben einpassen und mit ihren Interessen und Neigungen in Einklang bringen. Das wird nicht immer reibungslos verlaufen, so wie auch der Unterricht selbst und das Familienleben nicht immer glatt verlaufen. Vor allem jüngere Schulkinder müssen die selbstständige und eigenverantwortliche Erledigung von Hausaufgaben erst lernen und sie brauchen noch viel persönliche Zuwendung von Erwachsenen. Wenn dann noch weitere Instanzen, etwa ein Hort oder Schularbeits- und Nachhilfeeinrichtungen, dazukommen, kann es noch komplizierter werden, alle Interessen unter einen Hut zu bekommen, denn die Beteiligten sehen sich keineswegs jeden Tag.

Sie sind sicher klug beraten, wenn Sie das Gespräch mit den Lehrerinnen und Lehrern, den anderen Eltern und allen weiteren Beteiligten rechtzeitig suchen. Um solche Gespräche mit Erfolg führen zu können ist es hilfreich, gut informiert zu sein.

Hausaufgaben bilden eine Schnittstelle zwischen Familie und Schule. Damit Abläufe an Schnittstellen reibungslos verlaufen, müssen verbindliche Regelungen getroffen werden.

Man kann über alles reden

Zunächst ist es gut zu wissen, was die verschiedenen Seiten – Lehrer und Lehrerinnen, Eltern, Schüler und Schülerinnen – voneinander erwarten. Von Seiten der Schule bilden die mehr oder weniger ausführlichen Richtlinien, Lehrpläne, Erlasse und sonstigen Vorschriften einen Rahmen. Dieser wird von den Lehrerkonferenzen konkreter ausgestaltet. Innerhalb dieser Grenzen behält jeder einzelne Lehrer und jede Lehrerin einen Spielraum für die Gestaltung der Hausaufgaben.

In jeder Klasse sitzen 20 bis 30 Schüler und Schülerinnen, die sicher höchst unterschiedlich an die Dinge herangehen, ebenso wie ihre Eltern, deren Erwartungen wohl wieder andere sind.

Klären Sie mit allen Beteiligten die gegenseitigen Erwartungen.

Diese Rahmenbedingungen, Spielräume, Vorstellungen und Erwartungen transparent zu machen, kann Unstimmigkeiten und Ärger vermindern. In den meisten Regelungen der einzelnen Bundesländer finden sich deshalb Hinweise darauf, dass das Thema Hausaufgaben regelmäßig auf Elternversammlungen behandelt werden soll.

Ein guter Start ...

In der Elternversammlung der ersten Klasse vermittelt die Klassenlehrerin, Frau Hübner, den Eltern, dass sie noch nicht täglich Hausaufgaben aufgibt. Wenn die Kinder Hausaufgaben haben, sollen sie nicht mehr als 15 bis 20 Minuten daran arbeiten. Das entspräche auch den Vorschriften, fügt sie hinzu, und sei besonders für den Schulanfang vernünftig. Wenn Kinder deutlich länger brauchten, müssen die Aufgaben nicht vollständig sein. Sie bittet dann aber um Nachricht ins Mitteilungsheft. Sie fordert die Eltern ausdrücklich auf, die Kinder selbstständig arbeiten zu lassen. Frau Hübner berichtet über den Lese-Schreib-Lehrgang und zeigt den Eltern, worauf sie bei der Schreibhaltung achten möchten. Wenn die Eltern den Eindruck hätten, dass ihr Kind etwas nicht verstanden habe, möchte sie das erfahren. Mit den Hausaufgaben und später den Klassenarbeiten prüfe sie schließlich auch, ob ihr Unter-

Eltern und Lehrer müssen gemeinsam Wege finden, wie man den Kindern am besten gerecht werden kann.

richt angekommen sei, die Kinder alles verstanden haben und das funktioniere nur, wenn sie das auch bei den Hausaufgaben erkennen könne. Nicht allen Eltern werden Erklärungen wie die von Frau Hübner einsichtig sein. Einige werden die Erwartung äußern, dass es regelmäßig und ruhig etwas mehr Hausaufgaben geben könne. Die Kinder müssten sich schließlich daran gewöhnen und im Gymnasium werde anschließend auch keine Rücksicht genommen. Es ist zu hoffen, dass Frau Hübner und auch die Eltern der Klasse mit solchen Einwänden oder Bedenken gelassen und konstruktiv umgehen können und dass es nicht zur Lagerbildung kommt.

Um Fronten zwischen den Eltern zu verhindern, braucht es stichhaltige Begründungen, etwa den Hinweis auf die Spiel- und Bewegungsbedürfnisse von jüngeren Schulkindern. Auch der enge Zusammenhang zwischen körperlicher und geistiger Entwicklung ist nicht allen Eltern vertraut.

Man kann nicht oft genug darauf hinweisen, dass Lernen nicht nur in der Schule, sondern auch außerhalb, im „wirklichen" Leben stattfindet. Eltern müssen wesentlich mit dafür Sorge tragen, dass die Kinder die Erwachsenenwelt verstehen lernen und Antworten auf ihre Fragen bekommen.

Natürlich fliegen uns allen die Ideen und Anregungen nicht ständig zu. An Elternabenden dürfen solche Ideen ausgetauscht werden. Anregungen geben die Checkliste auf Seite 31 sowie die Internettipps im Serviceteil.

Man braucht Schüler gar nicht ausgiebig nach ihrer Meinung zum Unterricht zu befragen. Man kann es ihren Hausaufgaben ansehen, ob sie Spaß daran hatten, etwas zu üben oder auszukundschaften oder ob sie sich damit gequält haben.

Tipp

Ein Bild kann deutlich machen, was von dem Argument der „zeitigen Gewöhnung" an größere Hausaufgabenmengen zu halten ist: Weisen Sie auf den kleinen Baum in der Baumschule hin, der nicht gleich auf Gedeih und Verderb Wind und Wetter ausgesetzt, sondern umsorgt und geschützt wird, damit er kräftig heranwächst, auf dass er später den widrigen Lebensbedingungen zu trotzen vermag.

◀ Der Lern-
erfolg hängt
auch vom
Klassenklima
ab.

Klassenklima

Herr Petersen, Klassenlehrer einer fünften Klasse, klagt während einer Elternversammlung im zweiten Halbjahr darüber, dass die Hausaufgaben sehr häufig von vielen nicht angefertigt und Aufträge nicht erledigt würden. Er habe es zunächst mit Mahnungen versucht. Aber das habe keine große Verbesserung gebracht. Das Klassenklima sei langsam gestört, weil er im Stoff nicht recht vorwärts komme oder oft umdisponieren müsse, wenn versprochene Informationen oder Materialien nicht vorlägen. Deshalb habe er jetzt mit der Klasse die Vereinbarung getroffen, dass es für nicht erledigte Aufträge Minuspunkte gäbe. Nach vier Wochen würden die gesammelten Punkte gelöscht. Wer mehr als drei Punkte habe, werde eine Fünf bekommen. Herr Petersen bittet die Eltern um Verständnis und Unterstützung. Er weist auf das Hausaufgabenheft hin, in das die Eltern ihm Nachrichten schreiben können, wenn es Probleme mit den Hausaufgaben oder deren Erledigungen gegeben hat.

Die sich anschließende Diskussion verläuft heftig. Einige Eltern sind erschreckt. Viele wollen die Namen der „Sünder" wissen. Herr Petersen erklärt daraufhin, dass er hier in der Versammlung keine Namen nennen dürfe. Wenn es mit einzelnen Schülern außergewöhnliche Probleme gäbe, würde er sich an die Eltern wenden, seine Sprechstunde sei ihnen ja bekannt. Herr Petersen räumt ein, er habe den Eindruck, während seiner etwas längeren Krankheit habe sich ein gewisser Schlendrian eingeschlichen. Deshalb habe er mit den Schülern und Schülerinnen vereinbart, dass sie zunächst versuchen sollten, das Problem mit Unterstützung der Eltern in den Griff zu bekommen.

Ein Vater will wissen, ob das mit der schlechten Note rechtens sei. Herr Petersen kann an die Vorschriften erinnern, in denen steht, dass die Hausaufgaben in die Bewertung einfließen. Mehrere Eltern finden das Verfahren fair, weil die Kinder eine Chance haben, sich ohne Bestrafung zu bessern. Es wird verabredet, vor den Sommerferien Bilanz zu ziehen.

Überforderung vermeiden

In der Elternversammlung einer siebten Klasse beklagen sich mehrere Eltern, dass ihre Kinder an mehreren Tagen in der Woche über zwei Stunden an den Hausaufgaben sitzen. Nicht allen Eltern ist das aufgefallen. Einige räumen ein, dass sie sich gar nicht mehr um die Hausaufgaben kümmern, weil ihre Kinder das auch nicht wollen. Andere meinen, dass sei doch nicht schlimm, dann trieben ihre Sprösslinge sich wenigstens nicht auf der Straße herum.

In den höheren Klassen hören Schulschwierigkeiten zwar nicht auf, aber es handelt sich selten um klassische Hausaufgabenprobleme.

Die Klassenlehrerin, Frau Bott, möchte es aber doch genauer wissen. Sie fragt genauer nach und es zeigt sich, dass sich wahrscheinlich drei Fachlehrer nicht gut genug abstimmen, weil das Problem an den Tagen auftritt, an denen alle drei Unterricht haben. Sie verspricht, sich darum zu kümmern, denn die Lehrerkonferenz habe sich für die achten Klassen auf maximal zwei Stunden Hausaufgabenzeit geeinigt. Sie wird die Kollegen daraufhin ansprechen und in der nächsten Klassenkonferenz mit ihnen eine Lösung suchen. Inzwischen, schlägt sie vor, sollten Eltern und Schüler und Schülerinnen genauer festhalten, wie lange sie für die Hausaufgaben brauchen. Es wird vereinbart, das Thema beim nächsten Elternabend erneut aufzugreifen, um die Ergebnisse zu vergleichen und die Lösungen vorzustellen.

Darüber müssen Sie sich verständigen

Es gibt eine Reihe von Fällen, in denen Sie auf die Lehrkraft Ihres Sohnes oder Ihrer Tochter zugehen sollten:

Was tun, wenn Kinder ihre Aufgaben nicht erledigen oder sie immer wieder vergessen haben? Forschen Sie nach, warum dies so ist. Es muss eine Erklärung geben.

In besonderen Fällen können Einzelregelungen zwischen der Lehrerin, dem Lehrer und den Eltern bzw. der Schülerin, dem Schüler ausgehandelt werden.

Haben manche Kinder „nie etwas auf"? Ob und warum das so ist, muss zwischen Eltern und Lehrkräften besprochen werden.

Manche Schüler erledigen ihre Hausaufgaben in allen möglichen zeitlichen Lücken: bereits in der Schule in der Freistunde oder als Fahrschüler in Bus oder Zug. Das muss kein Problem sein, aber es ist gut, sich Klarheit darüber zu verschaffen.

Eltern merken in der Regel schnell, ob getroffene Regelungen vernünftig sind und eingehalten werden (können) oder ob sie verbessert werden müssen.

Eltern können von Lehrern und Lehrerinnen erwarten,

- dass sie sie über die Regeln und Bestimmungen bezüglich der Hausaufgaben informieren, die für das Bundesland bzw. die Schule gelten.
- dass sie ihnen Hinweise geben, wie sie die Kinder bei den Hausaufgaben unterstützen können.
- dass sie sie über die Absprachen informieren, die sie mit den Kindern getroffen haben.

Lehrer und Lehrerinnen können von den Eltern erwarten,

- dass diese sie informieren, wenn sie feststellen, dass die Regelungen nicht eingehalten werden (konnten).
- dass diese sich an sie wenden, wenn es Probleme mit den Hausaufgaben gibt.

Das Kind unterstützen

Besonders im Anfangsunterricht ist es wichtig, dass der Lehrer oder die Lehrerin Ihnen mitteilt, welche Methoden er/sie anwendet. Sie sollten Tipps bekommen, worauf Sie achten sollten und was Sie beruhigt laufen lassen können. Wenn Kinder erste Anzeichen einer Lese-Rechtschreib- oder Rechenschwäche zeigen oder sehr unruhig oder unkonzentriert sind, werden erfahrene Lehrkräfte den Eltern eine besondere Beratung anbieten.

Es muss bei Elternabenden möglich sein, Meinungen auszutauschen und den von der Schule gesetzten Rahmen mit Leben zu füllen.

Eltern informieren

- Frau Ziegler hat beim Elternabend in ihrer ersten Klasse den Eltern Themenabende vorgeschlagen:
  - Schreiben lernen
  - Lesen lernen
  - Mathematisches Verständnis
  - Konzentrationsfähigkeit

Dazu sind alle Eltern eingeladen, die sich für ein Thema interessieren. Der Vorschlag wird gut angenommen. Eine Mutter wünscht sich noch einen Abend zum Thema „Linkshänder". Frau Ziegler greift den Vorschlag auf.

Es werden Termine ausgesucht. Frau Ziegler spricht später einzelne Eltern an, bei deren Kindern ihr bereits Unterschiede zum Durchschnitt der Klasse oder kleinere Probleme aufgefallen sind. Sie informiert sie darüber und bittet sie, unbedingt am betreffenden Themenabend zu kommen. Manchen Eltern merkt sie an, dass sie etwas schlucken müssen. Andere sind erleichtert, dass die Lehrerin auch gemerkt hat, dass ihrem Kind das Lesen, Schreiben oder Stillsitzen besonders schwer fällt und dass sie nun Hilfe erwarten können.

An den Themenabenden versteht es Frau Ziegler, mit den Eltern „Schule zu spielen", wie sie es im Unterricht mit den Kindern macht. Es entsteht schnell die typische Schulatmosphäre. Einige sind vorlaut, andere schüchtern, einige eifrig, andere trödeln erst etwas. Als Eltern und Lehrerin am Ende des ersten Abends zurückschauen, sind alle erschöpft und begeistert. Frau Ziegler hat in vielen Eltern „ihre" Kinder wiedererkannt. Sie hat sich gefreut, dass alle so gut mitgearbeitet haben. Die Eltern zeigen sich erstaunt, wie anstrengend es ist, schreiben zu lernen. Gemeinsam tragen sie zusammen, was sie für zu Hause gelernt haben. Das schreibt die Elternsprecherin auf und vervielfältigt es auch für die Eltern, die nicht dabei waren.

Halten Sie die Ergebnisse der Elternabende schriftlich fest und prüfen Sie, ob Sie alles verstanden haben.

- Herr Rhode lädt im zweiten Halbjahr der ersten Klasse die Eltern der Kinder ein, die zusätzlichen Förderunterricht im Lesen und Schreiben oder in Mathematik bekommen. Er ist gleichzeitig Mitarbeiter beim Schulpsychologischen Dienst und hat sich auf Förderunterricht spezialisiert. Er erklärt die aufgetretenen Probleme, wie sie entstehen, wie er mit den Kindern arbeitet, was sie selbst zusätzlich unternehmen können, welche Fehler sie tunlichst vermeiden sollten. Den Eltern tut es gut, einmal unter sich zu sein, ohne den Druck der Eltern, deren Kinder alles können, die immer schon viel weiter sind. Sie entwickeln Vertrauen zueinander und es kommen gegenseitige Hilfsangebote zustande, weil manche Eltern zu Hause schon Hausaufgabenstress haben.

◀ Elternabende sind wichtige Informationsforen.

Herr Rhode bietet auch Einzelgespräche an, aber es zeigt sich bald, dass die Eltern die vierteljährlichen Treffen gern annehmen und keine Scheu mehr haben, von ihren Problemen zu reden.

■ Frau Braun hat gute Erfahrungen mit Tischgruppenabenden. Sie lädt im Laufe des ersten Schuljahres nacheinander die Eltern der Kinder ein, die an einem Gruppentisch zusammensitzen. Sie möchte damit einerseits das Kennenlernen fördern. Es geht ihr aber auch darum, den Eltern zu zeigen,

Man muss das Rad nicht stets neu erfinden. Die Anregungen für die richtigen Hilfen können auch aus der Schule kommen.

– worauf sie bei Schreibübungen achten sollten: Schreibhaltung, die richtigen Schreibgeräte und wie sie die Feinmotorik beim Basteln und Spielen fördern können;
– welche Hilfen es fürs Lesen gibt, zum Beispiel den Lesepfeil;
– wie wichtig es ist, dass die Kinder nicht nur die Zahlen, sondern die Mengen lernen, die damit ausgedrückt werden, und wie man sie dabei fördern kann.

Frau Braun hat dafür alles Material und alle Hilfsmittel, die in der Klasse verwendet werden, ausgebreitet. Alles kann begutachtet und ausprobiert werden. Es ist auch genug Zeit, sich umzuschauen und Fragen zu stellen – mehr als bei einem normalen Elternabend.
Im zweiten Schuljahr bietet sie die Tischgruppenabende wieder an. Diesmal ist es ihr wichtig, den Eltern zu zeigen, wie selbstständig die Kinder in der Partner- und Gruppenarbeit werden und schon sind. Sie hat für die Eltern Aufgaben zusammengestellt. Sie möchte zeigen, wie viel man lernt, wenn man sich beim Arbeiten beraten und miteinander sprechen muss und dass man auch selbst davon profitiert, wenn man anderen etwas erklärt. Sie möchte den Eltern zeigen, wie wenig sie gebraucht wird, wenn die Aufgabenstellung klar ist und dass auch die Eltern bei den Hausaufgaben zu Hause „ihren" Kindern viel zutrauen können. Sie freut sich, dass mehrere Eltern, deren Kinder nachmittags miteinander spielen, ihre Anregung aufgreifen und die Kinder auch die Hausaufgaben gemeinsam erledigen lassen wollen.

Wenn Sie den Eindruck haben, dass „Ihr" Hausaufgabenproblem dadurch gefördert wird,

- dass die Hausaufgaben gar nicht oder kaum kontrolliert werden,
- dass sie nicht in den Unterricht einbezogen werden,
- dass sie nicht genug gewürdigt werden,
- dass es keine erkennbaren Konsequenzen hat, wenn die Hausaufgaben fehlen,
- dass die Konsequenzen hart und/oder ungerecht sind,

... dann ist das „ein Fall" für den Elternabend.
Äußern Sie Ihre Beobachtungen und Befürchtungen und lassen Sie sich das Konzept des Lehrers oder der Lehrerin erklären.

Was tun, wenn Aufgaben unklar sind?

Welche Wege es gibt, Hausaufgaben zuverlässig festzuhalten, haben Sie auf Seite 36 f. bereits erfahren. Nicht weniger wichtig ist es, die Zeit für das Erklären und Aufschreiben richtig einzuplanen. Hausaufgaben dürfen im Unterricht nicht hinten angehängt werden, in die letzte Minute, wenn alles schon im Aufbruch ist. Dann ist es kein Wunder, wenn einige Kinder schon abgeschaltet haben und es versäumen, sich Notizen zu machen.

Doch es gibt auch andere Fälle: Ihr Kind weiß, dass es etwas auf hat und es packt auch zügig seine Sachen aus. Dann wird es unsicher: „Ich glaube, wir sollten diese Geschichte lesen." Hinterher stellt sich heraus, dass sie sie nicht nur lesen, sondern frei erzählen sollten. Da kann man sich dann schon blamieren, wenn es nicht so klappt.

Bei Übungsaufgaben, die zu einem vorher behandelten Stoff gehören, kann man sich zu Hause ja immerhin einen Reim darauf machen, ob die Aufgabe zum Stoff passt. Geht es um die Menge, wird es schwieriger einzuschätzen, ob alles richtig angekommen ist. Sollte das ganze Gedicht oder nur eine Strophe und wenn, dann welche auswendig gelernt werden?

Wenn ein direkter Zusammenhang zwischen Hausaufgaben und Unterricht besteht, fällt es umgehend auf, wenn Aufträge nicht erledigt werden.

Erteilung der Hausaufgaben prüfen

Natürlich kann man sich dann erst mal mit den Klassenkameraden behelfen. Aber wenn dies Zögern häufig auftritt, wird es Zeit, nach den Ursachen zu forschen.

Fragen Sie zuerst Ihr Kind nach möglichen Gründen. Seine Antworten geben Ihnen vielleicht erste Anhaltspunkte. Dann sollten Sie weiterfragen. Hat wirklich nur Ihr Kind das Problem oder betrifft es mehrere Kinder? Sind die Elternvertreter bereits von anderen Eltern auf diese Erfahrung hin angesprochen worden? Kann man in der Schule etwas verbessern, damit die Hausaufgabenstellung klarer wird? Schulische Hilfen wären zum Beispiel:

- Erklärung der Aufgaben, Gelegenheit zu fragen anbieten,
- die Verbindung von Unterricht und Hausaufgaben,
- die Genauigkeit der Angaben, sei es an der Tafel oder mündlich.

Darüber sollte am Elternabend gesprochen werden. Kritik und Vorschläge müssen mit den Lehrkräften beraten und erörtert werden.

Wenn ein Kind eine Aufgaben nicht verstanden hat, hat es vielleicht schon im Unterricht nicht verstanden, worum es geht.

Wenn Sie den Eindruck gewinnen, die Wissenslücken und das Nichtverstehen haben etwas mit den persönlichen Lernproblemen Ihres Kindes zu tun, dann sollten Sie den Rat des Lehrers oder der Lehrerin suchen. Im Kapitel „Über den Sinn und Unsinn von Hausaufgaben", Seite 59 f., haben Sie dazu bereits vertiefende Hinweise erhalten.

Kontrollformen und Konsequenzen

Wenn Hausaufgaben aufgegeben werden, sollten nicht nur Sie als Eltern sich dafür interessieren. Auch in den Unterricht müssen die Lösungen wieder einfließen. In den Regelungen einiger Bundesländer wird etwas dazu gesagt.

In Rheinland-Pfalz heißt es zum Beispiel:

Die Hausaufgaben werden in der Regel in den Unterricht besprochen und zumindest stichprobenartig überprüft. Eine schriftliche Abfrage der Hausaufgaben darf sich höchstens auf die Hausaufgaben der letzten beiden Unterrichtsstunden beziehen und nicht länger als zehn Minuten dauern.

Es darf keinesfalls der Eindruck bei den Kindern entstehen, dass es völlig beliebig ist, ob sie ihre Aufgaben erledigen. Sonst hören Sie von Ihrem 15-Jährigen: „Muss ich gar nicht machen! Sieht doch sowieso keiner nach!" Bei schriftlichen Übungsaufgaben kann man schwarz auf weiß erkennen, ob sie erledigt sind. Mit einem Blick auf die Hefte können Lehrer und Lehrerinnen zumindest die Vollständigkeit erfassen. Zur Überprüfung der Richtigkeit werden häufig die Hausaufgaben in Partnerarbeit getauscht.

In Hamburg heißt es zum Beispiel:

Mit zunehmendem Alter der Schüler wird die Kontrolle durch den Lehrer durch gegenseitige Korrektur der Schüler und durch Selbstkontrolle ergänzt. Auch diese Arbeitsformen müssen geübt werden.

Nicht immer, aber stichprobenartig werden einzelne Kinder genauer befragt oder ein (Vokabel-)Test durchgeführt, um die Erledigung zu überprüfen. In größeren Abständen nehmen die Lehrkräfte die Hefte zur Durchsicht mit. Manche Bundesländer äußern sich sehr konkret zu der Kontrolle der Hausaufgaben, sodass Eltern die alltägliche Praxis an den Richtlinien messen können. Wo das nicht der Fall ist, sollten Sie sich in der Elternversammlung darüber berichten lassen, welche Vereinbarungen es an der Schule gibt und wie die Hausaufgabenregelung in der Klasse gehandhabt wird. Hausaufgaben werden bei der Leistungsbewertung berücksichtigt, zumindest indirekt schlagen sie sich in der mündlichen Mitarbeit oder in den Klassenarbeiten nieder. Nur in Hamburg wird direkt darauf hingewiesen, dass Hausaufgaben nicht zu zensieren sind, da die außerschulischen Bedingungen zu unterschiedlich seien. Aber auch benotete Kontrollen von beschränktem Umfang finden sich in den Vorschriften und sicher auch in den Konzepten vieler Schulen.

Tipp

Grübeln Sie nicht inhaltlich über die Aufgabenstellung nach, um dann mit Ihren Vermutungen mehr oder weniger richtig zu liegen. Helfen Sie Ihrem Kind lieber, seine Aufgaben selbstständig machen zu können.

> **In der Bremer Regelung für die Sekundarstufen heißt es zum Beispiel:**
>
> Bei mangelnder Mitarbeit oder zur Wiederholung einer lässig oder unvollständig angefertigten Hausarbeit können zusätzliche Hausaufgaben gestellt werden.

Lassen Sie sich nicht verunsichern: Bringen Sie Ihre Überlegungen auf einem Elternabend zur Sprache.

Jedes Bundesland, jede Schule mag etwas andere Feinheiten bei der Bewertung auch im Hinblick auf die nicht erbrachten Hausaufgabenleistungen haben, Ihnen sollte es darum gehen, dass die Regelungen bekannt sind. Dann kann man unter Umständen auch darüber diskutieren, ob sie in jedem Fall sinnvoll oder gerecht sind.

„Mein Kind hat nicht genug Hausaufgaben auf!"

Manche Eltern äußern das mit Zufriedenheit, wenn sie vom Hausaufgabenstress anderer Eltern hören, oder auch mit Stolz, weil ihr Kind so intelligent ist. Meist aber verbirgt sich dahinter der Vorwurf an die Lehrerin oder den Lehrer aus der Sorge heraus, die Kinder würden nicht genug lernen und könnten den Anschluss verpassen. Auch wenn Geschwisterkinder sehr unterschiedlich mit Hausaufgaben bedient werden, kommen Eltern manchmal ins Grübeln.

Freiarbeit statt Hausaufgaben?

Frau Grabowski traut dem Unterrichtsstil in der Montessoriklasse ihres Sohnes nicht. Freiarbeit, kaum Hausaufgaben. „Frank benötigt Druck, freiwillig tut er nicht genug. Ich übe jeden Tag mit ihm", gesteht sie. Auf Elternabenden schweigt sie, weil viele Eltern von der Lehrerin begeistert sind. Frank wehrt sich nicht. In der Schule steht er allerdings immer etwas abseits, kann sich nicht entscheiden, wartet, bis er eine Aufgabe bekommt. Er ist kein schlechter Schüler, aber er findet keinen Anschluss.

Versuchen Sie nicht in Ihrer Sorge selbst Lehrerin zu spielen und die fehlenden Hausaufgaben selbst zu stellen. Es lohnt sich, darüber mit den Eltern und den Lehrern zu reden. Vielleicht waren Sie gerade an dem Elternabend verhindert, an dem über das Thema

Hausaufgaben gesprochen wurde? Vielleicht hat die Lehrerin oder der Lehrer noch gar nicht vermutet, dass es Bedenken gäbe und kann ihr/sein Vorgehen gut begründen? Vielleicht läuft aber auch etwas schief und es ist gut, dass Sie den Stein ins Rollen bringen.

Experimente

Die neue Mathematiklehrerin hat sich mit ihrem eigenen System beim ersten Elternabend vorgestellt. Dazu gehört, dass es keine Hausaufgaben gibt. Die Eltern waren skeptisch. Nach vier Wochen teilt die Lehrerin den Eltern schriftlich mit, dass das Lernverhalten der Kinder chaotisch und schlecht sei. Nun sind die Eltern empört. „Was kann man tun?", fragt die Elternvertreterin.

Da ist etwas schief gelaufen, das nur zusammen mit der Lehrerin wieder zurechtgerückt werden kann. Wenn die Kritikwogen hochzuschlagen drohen, empfiehlt sich eine gute Vorbereitung. Es macht die Beratung einfacher, wenn die Fragen und Kritikpunkte der Elternseite vorher bei den Elternsprechern gesammelt werden und diese dann ein Vorgespräch mit der Lehrerin führen. Es ist niemandem damit gedient, wenn eine Lehrerin bzw. ein Lehrer unvorbereitet durch Vorwürfe in unüberlegten Rechtfertigungsdruck gerät und sich verteidigt oder die Vorwürfe zurückweist. War in diesem Fall vielleicht nur der Methodenwechsel „schuld": vom lehrerzentrierten

Es geht beim Thema Hausaufgaben nicht um Alles oder Nichts.

Unterricht, wo die Schülerinnen nichts selbst zu entscheiden brauchten, zu einem Unterricht, der stärker an den Schüler und Schülerinnen und ihren Interessen ansetzte? War er zu schnell, zu krass? Hatte die Lehrerin damit gerechnet, dass die Kinder aus Freude an der Sache selbst zu Hause weiterarbeiten würden? Über längere Zeiten werden Sie oder Ihr Kind nicht um Hausauf-

Die Schülerinnen und Schüler bekommen die Reaktionen der Klassenkameraden zu spüren, wenn sie etwas versäumt haben, worauf alle angewiesen waren. Das kann heilsamer sein, als jede Strafarbeit.

gaben herumkommen, ob sie nun zu Hause, in der Pause, in Bus oder Bahn oder mit Freunden erledigt werden. Hausaufgaben sind zwar nicht unumstritten, aber doch fester Bestandteil von Schule.

In Bremen heißt es für die Sekundarstufe zum Beispiel:

Hausaufgaben sind notwendige organische Ergänzung des Unterrichts.

Ob allerdings alle gleich lange daran sitzen müssen oder das Gleiche oder gleich viel aufbekommen müssen, das ist die Frage.

Gleiche Aufgaben für alle?

Da Kinder sehr unterschiedlich sind, auch innerhalb einer Jahrgangsklasse, kann es gleiche Aufgaben für alle eigentlich nur geben, wenn es keine zeitlichen Rahmenbedingungen für Hausaufgaben gibt. Besonders wenn man unter gleichen Aufgaben auch die gleiche Menge versteht. Wenn alle gleich behandelt werden, kann das für die einen zu viel und für die anderen zu wenig sein. Wenn also in einem Bundesland schulrechtliche Bedenken bestehen, Hausaufgaben differenziert aufzugeben, ist davon auszugehen, dass der zeitliche Rahmen offen gehalten ist. Verfassungsrechtlich halte ich das Ausschließen von Differenzierung für nicht haltbar.

In Sachsen-Anhalt heißt es zum Beispiel:

Diesen Grundsätzen wird der Lehrer dadurch gerecht, dass er Hausaufgaben ...
d) gegebenenfalls differenziert stellt.

Tipp

Bei Konflikten mit Lehrern sollte folgende Faustregel gelten: Stellen Sie die Autorität und Qualifikation eines Lehrers nicht sofort in Frage, sondern klären Sie den Anteil Ihres eigenen Kindes an der Problemsituation.

Es fällt Lehrern und Lehrerinnen leichter, einfach allen dasselbe aufzugeben und den Langsamen noch das dazu, was sie in der Schule nicht geschafft haben. Ist das gerecht? Differenzierung kann es in der Menge der Aufgaben oder bei der Aufgabenstellung geben. Sie merken es vielleicht erst, wenn Ihr Kind seine Aufgabe nicht richtig verstanden hat und Sie auf ihren Vorschlag, doch die Freundin zu fragen, zu hören bekommen, dass die zu der B-Gruppe gehört und deshalb einen anderen Bogen bearbeitet. Eigentlich hätte die Lehrerin bzw. der

Die Schule hat die Aufgabe, die Kinder auch individuell bestmöglich zu fördern.

Lehrer Sie darüber in der Elternversammlung längst schon informieren können.

Sie sollten eine Erklärung einfordern,

- wenn Sie befürchten, dass Ihr Kind zu viel oder zu wenig aufbekommt im Verhältnis zu anderen Kindern;
- wenn Sie der Meinung sind, die Lehrerin oder der Lehrer traut Ihrem Kind zu wenig oder zu viel zu;
- wenn Ihr Kind die vereinbarte Zeit ständig überschreitet;
- wenn Sie glauben, Ihr Kind habe zu wenige Aufgaben.

In Bayern sind für die Grundschule durchschnittlich eine Stunde, für die Hauptschule bis zu zwei Stunden und für das Gymnasium ebenfalls zwei Stunden vorgesehen.

Bei genauerem Hinsehen sind es oft nicht die Hausaufgaben selbst, sondern die Art ihrer Umsetzung, die die Arbeitszeiten ausdehnt und zu Dauerproblemen führt. Wie oft man etwas lesen oder schreiben übt, bis alle Beteiligten zufrieden sind, ob die Rechenpäckchen noch mal abgeschrieben werden (müssen), damit man die verbesserten Fehler nicht sieht, das zieht die Zeit in die Länge und befördert die Hausaufgabenunlust mit Trödeln bis zur Verweigerung. Meist sind die Richtlinien und Vorschriften der einzelnen Bundesländer oder das, was sich die Schulen selbst als Regelung setzen, wenig problematisch. Sie lassen hinreichend viel Spielraum für Spiel, Sport und Entspannung.

Gegenstand des Ärgers sind also nicht wirklich die Hausaufgaben selbst, sondern die Schwierigkeiten von Eltern, im häuslichen Rahmen angemessen damit umzugehen. Nach Lektüre der ersten Kapitel dieses Buches wird Ihnen dies jedoch sicher bereits viel leichter fallen!

Hausaufgaben verlangen Kooperation

Nicht nur Eltern und Schule müssen Absprachen zum Thema Hausaufgaben treffen, sondern auch das Kollegium einer jeden Schule. Fehlt es an tragfähigen Vereinbarungen, merken Sie das zu Hause schnell an der unausgewogenen Menge der Hausaufgaben. Es reicht auch keineswegs, wenn Lehrer einen schnellen Blick ins Klassenbuch werfen und sich daran orientieren, wie viele Hausaufgaben die Kollegen oder Kolleginnen vorher schon „aufgegeben" haben. Dann könnte es geschehen, dass ein Fach schlecht wegkommt, weil es immer am Ende der Unterrichtszeit liegt.

In Sachsen heißt es zum Beispiel:

Die Lehrer sind verpflichtet, die tägliche Gesamtbelastung der Schüler angemessen zu berücksichtigen.

Ältere Schülerinnen und Schüler spielen ein Kollegium schnell gegeneinander aus, wenn sie merken, dass die Lehrer keinen guten Kontakt untereinander haben.

Individuelle Probleme eines Kindes sollten unbedingt im Einzelgespräch geklärt werden, nicht an einem Elternabend.

Aber auch Ihre Rückmeldung ist gefragt. Wenn über das Zuviel oder Zuwenig nur hinter vorgehaltener Hand getuschelt und geklagt wird, verschlechtert sich nur das Klima, aber es ändert sich nichts.

Um Transparenz in die Hausaufgabenzeiten zu bringen, lohnt es, in regelmäßigen Abständen – alle ein bis zwei Jahre oder aus gegebenem Anlass- eine Zeiterfassung über mindestens eine Woche hinweg zu vereinbaren.

In Hamburg heißt es zum Beispiel:

Als zweckmäßig hat sich die regelmäßige Überprüfung des zeitlichen Umfangs der Hausaufgaben erwiesen, und zwar nicht nur durch Befragung der Schüler, sondern durch Verlegung eines Tagespensums von Hausaufgaben in die Unterrichtszeit.

Damit Sie nicht dazu verleitet werden, sich etwas vorzumachen, empfiehlt es sich, die Befragung anonym durchzuführen. Der Computer macht das Auswerten heutzutage leicht. Gemeinsam mit den Lehrerinnen und Lehrern können Sie sich dann einen Eindruck darüber verschaffen, ob die Hausaufgabenpraxis in Ihrer

Klasse den Kindern, den Regelungen der Schule und den Vorschriften im Land einigermaßen entsprechen oder ob etwas geändert werden muss.

Hausaufgaben wachsen mit

Die Kinder werden jedes Jahr ein bisschen älter, größer und reifer. Was irgendwann einmal besprochen und verabredet wurde, passt im nächsten Schuljahr oder bei neuen Lehrern nicht mehr. Deshalb gehört das Thema alle Jahre wieder auf die Tagesordnung.
Diese Empfehlung finden Sie auch in den Vorschriften mehrerer Bundesländer.

Es ist Aufgabe der Unterrichtenden, sich in Konferenzen und Besprechungen abzusprechen und ein funktionierendes System für die Hausaufgaben zu vereinbaren.

In Niedersachsen heißt es zum Beispiel:

Die Verpflichtung der Lehrkräfte, Inhalt, Planung und Gestaltung des Unterrichts mit den Klassenelternschaften zu erörtern, schließt die Erörterung der Hausaufgabenpraxis mit den Klassenelternschaften ein.

Wenn das Thema „Hausaufgaben" auf die Tagesordnung eines Elternabends gesetzt wird, sollten Horteltern nicht vergessen, die Erzieherinnen zu informieren. Die Zusammenarbeit mit den Hortkräften wird sich einfacher gestalten, wenn sie in die Beratung einbezogen werden und nicht erst über Sie von neuen Absprachen erfahren.

Eltern und Lehrerinnen sind gleichermaßen empfindlich gegenüber Kritik: Eltern, wenn es um ihr Kind geht, und Lehrer und Lehrerinnen und Eltern gemeinsam, wenn es um die Erziehung geht, denn da ist niemand fehlerfrei und Schuldgefühle sind schnell zu wecken.

Stimmen die Verabredungen noch?

Bei einer der jährlichen Elternversammlungen sollten die Verabredungen daraufhin überprüft werden, ob sie noch zu den wachsenden Fähigkeiten der Kinder oder inzwischen aufgetretenen Problemen passen. Im Laufe der Schuljahre können immer mehr Fachlehrer und Fachlehrerinnen hinzukommen. Selbst bei guter Abstimmung im Kollegium gibt es bezüglich der Hausaufgabenpraxis sicher Unterschiede, die Sie kennen und verstehen sollten. Fachlehrer sehen Sie zwar an Sprechtagen, seltener aber an Elternabenden. Doch einmal jährlich sollten sie eingeladen werden und dazukommen. Dann können auch Fragen zu dem Umgang mit Hausaufgaben in diesem Fach angesprochen werden. Oft reicht es aber auch, wenn die Klassenlehrerin oder der Klassenlehrer sich Ihrer Fragen annimmt, weil sie bzw. er sowieso für die Koordination der in der Klasse unterrichtenden Lehrer zuständig ist.

Hausaufgaben maßschneidern

Folgende Punkte gilt es, regelmäßig einmal im Jahr gemeinsam mit dem Lehrer, der Lehrerin zu überprüfen und, wenn notwendig, neu abzustimmen:

- Welche Gedächtnisstütze gibt es für die Hausaufgaben, wie werden sie notiert?
- Wie wird sichergestellt, dass die Lehrer sich über die Menge der Hausaufgaben untereinander abstimmen?
- Wie lange sollten die Kinder maximal an den Aufgaben sitzen?

Helfen Sie ▶ Ihrem Kind, seine Arbeit zu organisieren (siehe auch Seite 23).

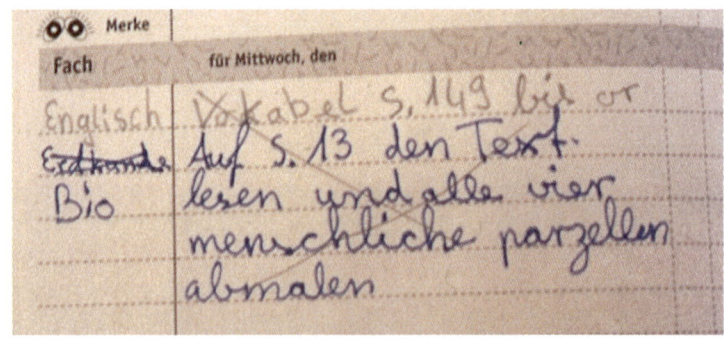

- Was wird von den Eltern und den Horterzieherinnen erwartet?
- Was ist zu tun, wenn ein Kind sehr viel länger braucht?
- Was tun, wenn ein Kind die Hausaufgaben nicht verstanden hat?
- Wie werden die Hausaufgaben in der Schule überprüft?
- Was geschieht, wenn ein Kind die Hausaufgaben vergessen hat?

Und wenn Sie zwischendurch eine Frage haben, müssen Sie sie auch loswerden bei den Lehrkräften, bei den Elternsprechern oder beim Elternabend unter dem Punkt „Verschiedenes".

Ich hab mal eine Frage

Viele Eltern trauen sich nicht recht, in der Elternversammlung eine Frage zu stellen. Sie fühlen sich unsicher und manchmal auch schlecht informiert. Wenn Sie nicht an jedem Elternabend anwesend waren, dann haben Sie vielleicht auch ein schlechtes Gewissen. „Darüber haben wir doch nun schon zigmal geredet!", haben Sie schon einmal zu hören bekommen? Es gehört schon ein bisschen Selbstbewusstsein dazu, sich nicht gleich einschüchtern zu lassen. Wo auch immer Sie Ihre Fragen loswerden, sind Sie sicher schon einmal verwundert oder gar verärgert gewesen, wenn Sie abgeblitzt, abgeblockt oder abgespeist worden sind. Bei Kritik haben Sie vielleicht damit gerechnet, „aber ich habe doch bloß gefragt ...":

Verlieren Sie bei den Verabredungen nicht das wichtigste Ziel aus den Augen: Hilf mir, es selbst zu tun!

Prüfen Sie, welche Formulierung bei Ihnen am besten ankommt:
- „Ihr Kind ist in der letzten Zeit sehr unausgeglichen und hat in den Leistungen nachgelassen."
- „Warum ist Ihr Kind in letzter Zeit so unausgeglichen und in den Leistungen zurückgegangen?"
- „Mir ist in letzter Zeit aufgefallen, dass Ihr Kind unausgeglichen ist. Auch in den Leistungen hat sich das bemerkbar gemacht. Haben Sie eine Idee, woher das kommen kann und wie wir ihm helfen können?"

Bei welcher Mitteilung müssen Sie am meisten schlucken? Könnten Sie auf die letzte Frage „einsteigen"?

Tipp

Wenn Sie den vorhergehenden Elternabend versäumt haben, können Sie die Elternsprecherin bzw. den Klassenpflegschaftsvorsitzenden anrufen. Informieren Sie sich darüber, was besprochen wurde. Dann können Sie sicher entscheiden, was Sie im Rahmen des nächsten Elternabends aufgreifen möchten und was besser in ein Einzelgespräch mit dem Lehrer oder der Lehrerin gehört.

Eltern sind immer aufnahmebereit für gute Nachrichten über die Entwicklung ihrer Kinder. Sie identifizieren sich mit ihrem Kind und beziehen Probleme schnell als Kritik auf sich. Sie denken vielleicht, bei Lehrern und Lehrerinnen sei das anders, die seien doch Profis und hätten ihren Beruf gelernt. „Ich bin ja ‚nur' Mutter und Eltern machen sowieso alles falsch", denken Sie vielleicht. Doch auch Lehrkräfte sind Erziehende und wer kann schon sagen, was in Erziehungsfragen wirklich richtig ist?

Manchmal richten Eltern es so ein, dass Kritik nicht zuerst beim Lehrer oder bei der betroffenen Lehrerin ankommt, sondern bei der Schulleitung oder bei der Schulaufsicht. Falls Sie dies beabsichtigen, sollten Sie bedenken, das das Klima nicht entspannter wird, wenn Sie den Dienstweg nicht einhalten.

Woran liegt es, dass Eltern und Lehrer sich so schwertun, offen mit Problemen umzugehen? Wenn Sie sich dies vor Augen führen und sich in die Lage eines Lehrers eindenken, dann verstehen Sie vielleicht ein bisschen besser, warum manche Lehrer mit Kritik genauso schwer umgehen können wie Eltern. Nicht wenige fühlen sich selbst bei einer „harmlosen" Frage schnell angegriffen. Und geben Sie es ruhig ehrlich zu: Hinter Ihren Fragen verbirgt sich häufig nicht Interesse, sondern Kritik oder gar Ärger, mehr schlecht als recht verdeckt ... und das bleibt dann auch nicht verborgen.

Auch die gute alte Regel, erst etwas Positives zu sagen und dann erst mit der Keule zu kommen, hilft nicht weiter. Sie fallen doch sicher selbst auch umso tiefer, wenn Sie sich gerade über ein Lob gefreut haben und dann der Rückschlag folgt.

Lob als Mittel zum Zweck, um Kritik besser an den Mann oder die Frau zu bringen, wird aber schnell als Taktik entlarvt.

◀ Fördern Sie das Lesen, es gibt unschätzbare Anregungen.

Was glauben Sie, wie kommt Ihre Botschaft am besten bei Ihrem Gegenüber an?

■ „Sie haben meiner Tochter gestern schon wieder vor der ganzen Klasse kritisiert, nur, weil sie beim Lesen gestottert hat."

■ „Warum haben Sie meine Tochter vor der ganzen Klasse kritisiert, als sie beim Lesen gestottert hat? Das ist nicht das erste Mal passiert."

■ „Gestern war ich ganz ratlos und musste meine Tochter trösten. Sie wollte nicht Lesen üben, weil es doch keinen Zweck hätte. Sie hätte beim Lesen gestottert und das wäre schon öfter passiert. Sie sollte mehr üben, hätten Sie gesagt. Mir war bis dahin nichts aufgefallen. Haben Sie etwas bemerkt? Was können wir tun, damit das Lesen wieder Spaß macht?"

Vergessen Sie nicht, den Lehrern und Lehrerinnen hin und wieder zu sagen, was Sie gut finden.

Tipp

Wählen Sie, wenn Sie mit Lehrern und Lehrerinnen sprechen, die bewährten Ich-Botschaften und bleiben Sie immer bei sich und Ihrem Kind. Sprechen Sie auch die Gefühle an, die Sie hatten oder haben, anstatt sie in Tonfall und/oder Haltung zu verpacken.

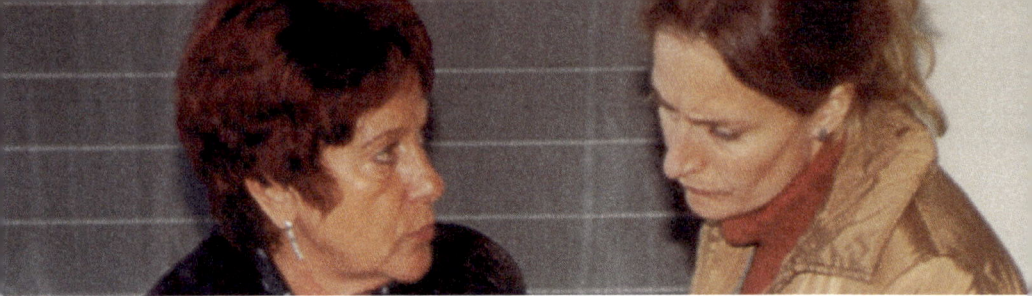

Gut zu wissen...

Richtlinien aller Bundesländer

Zunächst einmal ist es gut zu wissen, welche Regelungen es in der einzelnen Schule oder im Bundesland gibt, welche Grundsätze gelten, wie der zeitlichen Umfang begrenzt ist. Jedes Bundesland hat hier seine eigenen Bestimmungen. Das macht es in Deutschland etwas schwierig, Elternratgeber zu schulischen Themen zu schreiben. Wir müssen Begriffe verwenden, die alle verstehen und immer die ganze Palette der möglichen Einzelregelungen im Auge haben, damit Sie sich zurecht finden. In den Tabellen sind deshalb die Länderregelungen und was sie regeln in einer Übersicht zusammengestellt und in den einzelnen Kapiteln wird immer auf Besonderheiten oder Beispiele aus den verschiedenen Ländern verwiesen. Die Schulbehörde setzt darauf, dass die Lehrer und die Lehrerkonferenzen selbst gute Entscheidungen treffen, die den Bedingungen vor Ort Rechnung tragen. In Bremen gibt es gar keine Regelungen „von oben".

In Baden-Württemberg heißt es zum Beispiel:

Die näheren Einzelheiten hat die Gesamtkonferenz mit Zustimmung der Schulkonferenz zu regeln, insbesondere den zeitlichen Umfang sowie die Anfertigung von Hausaufgaben übers Wochenende und über Feiertage.

Tabelle 1: „Was ist geregelt in den Bundesländern?"

	Baden-Württemberg	Bayern	Berlin	Brandenburg	Bremen	Hamburg	Hessen	Mecklenb. Vorpom.	Niedersachsen	Nordrhein-Westfalen	Rheinland Pfalz	Saarland	Sachsen	Sachsen Anhalts	Schleswig-Holstein	Thüringen
Formen/Arten z.B. vertiefen, üben	X	X	X	X	(X)	X	X	G, R, IGS	X	X				X		X
Voraussetzungen, z.B. ohne Hilfe zu erledigen	X	(X)	X	X	X	X	X	Gr.	X	X	X		X	X		
zeitlicher Umfang nach Klassenstufen		X	X	X	X	X		R, Gy., IGS	X	X	X			X		X
Ferien- und Feiertagsregelungen		X	X	X	X	X	X	R, Gy, IGS	X	X	X	X	X	X		X
Unterschiede pro Schüler möglich				X		X	X	GS	X	X				X		
nicht als „Strafarbeiten"		(X)	X		X	X				X						
Kontrolle		(x)	X	X		X	X	G, IGS		X	X	X	X	X		
Bewertung bzw. Konsequenzen	X		X	X	X				X		X	X		X		
Abstimmung unter Lehrern (Umfang)	X	(X)	X	X	X	X		X		X	X		X	X	X	
Entscheidungsspielraum d. Schulen	X		X	X		X	X	X	X	X		X	X		X	
Elterninformation		(X)	X		X	X			X	X				X		

(X) Bayern: den ausgelaufenen, aber immer noch als relevant erachteten „Richtlinien für die Erteilung von Aufgaben zur häuslichen Bearbeitung" entnommen
(X) Bremen: dem Kommentar „Schule und Hausaufgaben" zu entnehmen

In Bremen gibt es Bestimmungen nur für die Sek I und II. In den Grundschulen entscheiden die Lehrerkonferenzen.
In Mecklenburg-Vorpommern sind die Regelungen für die einzelnen Schulformen etwas unterschiedlich: G=Grundschule, R=Realschule, Gy=Gymnasium, IGS=integrierte Gesamtschule. Für Hauptschulen gibt es keine Ausführungen.
Im Saarland werden zusätzliche Mittel für Hausaufgabenhilfe für ausländische SchülerInnen bereitgestellt.
In Schleswig-Holstein gibt es Fördermittel für außerunterrichtliche Betreuung an Schulen einschließlich Hausaufgabenbetreuung.

Tabelle 2: Wo finde ich was? Wir haben es für Sie ausfindig gemacht

Land	Quelle der Bestimmungen
Baden-Württemberg	Notenbildungsverordnung § 10
Bayern	Volksschulordnung (VSO) § 17 Realschulordnung (RSO) § 35 Schulordnung für das Gymnasium (GSO) § 42 Richtlinien für die Erteilung von Aufgaben zur häuslichen Bearbeitung (aufgehoben, als Orientierungshilfe geeignet)
Berlin	Ausführungsvorschrift über Hausaufgaben
Brandenburg	VV Schulbetrieb Punkt 5 Grundschulverordnung § 10 Abs.4 Sekundarstufe I-Verordnung § 21 Abs.3
Bremen	Hausaufgaben Sek I und II mit Kommentar: „Schule und Hausaufgaben", Leitsätze der Schulverwaltung
Hamburg	Richtlinien für das Erteilen von Hausaufgaben in den Klassen 1–10 Richtlinien für die Erziehung und den Unterricht der Grundschule Abschnitt 13
Hessen	Verordnung zur Gestaltung des Schulverhältnisses § 28
Mecklenburg Vorpommern	Schulgesetz v. 5.5.96, Stand Febr. 2000, § 76 (Schulkonferenz) Abs. 7 Die Arbeit in der Grundschule Verwaltungsvorschrift v. 8.9.98 Punkt 3.5 Die Arbeit in der Realschule, Erlass v. 8.6.94, Punkt 4.7 Die Arbeit in der integrierten Gesamtschule, Erlass v. 4.7.96 Punkt 4.8 Die Arbeit am Gymnasium, Erlass v. 13.5.91, Punkt 4.7
Niedersachsen	Erlass „Hausaufgaben an allgemeinbildenden Schulen"
Nordrhein-Westfalen	Hausaufgaben für die Klassen 1-10, RdErl. 2.3.74/24.6.92 Fünf-Tage-Woche RdErl.24.6.92/31.8.93 Punkt 3
Rheinland Pfalz	Schulordnung für die öffentliche Grundschule § 38 Übergreifende Schulordnung § 46
Saarland	Schulmitbestimmung § 47 (38) Erlass betr. Erteilung von Hausaufgaben über das Wochenende Richtlinien für die Förderung außerschulischer Hausaufgaben, Lern- und Sprachenhilfen für ausländische Kinder
Sachsen	Schulordnung Grundschule (SOGS) § 18 Schulordnung Mittelschule (SOMI) § 20 Schulordnung Gymnasium (SOGY) § 23 Lehrerkonferenzordnung (LkonfO) § 5

Sachsen-Anhalt	Erlass „Hausaufgaben an allgemeinbildenden Schulen"
Schleswig-Holstein	Schulgesetz v. 2.8.90 § 92 (Schulkonferenz) Abs. 1, 6. und § 94 (Klassenkonferenzen Abs. 3 8. Richtlinien über die Förderung von Betreuungsangeboten an Grund- und Förderschulen v. 23.2.98
Thüringen	Thüringer Schulordnung (ThürSchulO) § 57

Aus Elternsicht betrachtet ist es im Schulalltag erfahrungsgemäß einfacher, sich auf eine Landesregelung berufen zu können. Nicht alle Schulen sind so innovativ, ihre Handlungsspielräume gut auszunutzen und die Beteiligung von Eltern in der Einzelschule hängt sehr vom Engagement sowohl der Elternseite als auch der Seite der Schule ab.

◀ Neben den Hausaufgaben muss ausreichend viel Zeit für Sport und Spiel bleiben.

Am Wochenende möchten Sie Ihre Zeit frei planen, nicht auch noch an die Hausaufgaben erinnern müssen. Aber Wochenende ist nicht gleich Wochenende in den Bundesländern.

Wir empfehlen deshalb, die Splitter aus den Länderregelungen, die hier eingestreut sind, auch als Anregung zu verstehen, wenn es bei Ihnen an der Schule ein Hausaufgabenproblem gibt. Wenn Sie eine Formulierung finden, die Ihren Interessen entgegenkommt, können Sie sie in Ihrer Schule vorschlagen.

„Zeigen Sie mir, wo das steht"

Über die Bestimmungen in ihrem Land müssen Eltern und Schüler und Schülerinnen von den Lehrern informiert werden. Oft erhalten Sie auf eine Nachfrage die lapidare Antwort: „So ist die Vorschrift!" Wo kommt sie aber her – vom Schulministerium, von der Lehrerkonferenz oder vom Lehrer selbst? Das ist vor allem dann gut zu wissen, wenn Sie sich für die Änderung einer Vorschrift einsetzen wollen.

Manche Vorschriften sind nicht leicht zu verstehen. Was bedeutet denn die Vorschrift „Über Wochenenden oder Ferien werden keine Hausaufgaben aufgegeben" genau? „Über die Ferien" bedeutet: vom letzten Schultag vor bis zum ersten Schultag nach den Ferien. Am zweitletzten Schultag könnten demnach Hausaufgaben zum Schulbeginn aufgegeben werden. Sie können ja noch vor den Ferien erledigt werden!

Mischen Sie sich ein, mischen Sie mit, wenn es um gute Lösungen für die Hausaufgaben Ihrer Kinder geht, damit bei Ihnen zu Hause Hausaufgaben bald kein Thema mehr sind.

Alles Verhandlungssache

Alles, was nicht geregelt ist, ist Verhandlungssache und das ist gut so. In Schleswig-Holstein und im Bereich der Grundschule in Bremen gibt es keine Regelungen durch die Schulbehörde. Wenn einzelne Punkte wie zum Beispiel der zeitliche Umfang oder das Verbot von Hausaufgaben als Strafarbeiten nicht vorkommen, heißt das noch nicht, dass es an Ihrer Schule keine Regelung dafür gibt.

In vielen Ländern haben die einzelnen Schulen sehr viel Spielraum, selbst Regelungen zu treffen. Die müssen Sie dann allerdings erfahren. Außerdem haben die Elterngremien dabei ein Mitspracherecht.

Alles, was Recht ist

Jetzt kommen noch ein paar Fragen, die immer wieder gestellt werden. Wenn Sie einer solchen Frage nachgehen, vergessen Sie bitte nicht, dass es nicht ums Prinzip geht, sondern um die Sache selbst: die Freizeit der Kinder, ihre Lernentwicklung. Auch wenn Sie Recht haben mit Ihrer Vermutung, muss nicht jeder „Fall" vor Gericht. Sie entscheiden, was schädlich und deshalb wichtig ist und was man übersehen kann.

Hausaufgaben übers Wochenende oder über Feiertage?

Die Länderregelungen, die es gibt, halten zwar das Wochenende hausaufgabenfrei. Die Tücke liegt aber im Detail. Wann fängt für Sie das Wochenende an? Am Freitag oder Samstag nach Schulschluss oder wenn Sie von der Arbeit kommen und es gemeinsam losgehen könnte, das Wochenende? Wenn in der Vorschrift, wie in Bayern oder Thüringen, steht: „Sonntage, Feiertage und Ferien sind von Hausaufgaben freizuhalten", dann kann von Freitag zu Montag etwas aufgegeben werden, weil es ja am Freitag und Samstag erledigt werden kann. In Niedersachsen wird zwischen der Grundschule und der Oberschule unterschieden. Während die Grundschüler keine Hausaufgaben zu Montag machen müssen, haben die weiterführenden Schulen nur zwischen Samstag und Montag hausaufgabenfrei.

Nur wenige Länder haben in ihren Regelungen dem freien Sonnabend Rechnung getragen.

In Rheinland-Pfalz und Berlin werden vom Samstag zum darauf folgenden Montag keine Hausaufgaben aufgegeben. In Brandenburg heißt es aber: „von Freitag oder Samstag zu Montag" wird nichts aufgegeben. In Hessen und Hamburg geht das nur, wenn am Freitag noch Nachmittagsunterricht stattgefunden hat. In Sachsen-Anhalt, Mecklenburg-Vorpommern, Nordrhein-Westfalen und im Saarland sieht man das anders: „In Schulen mit 5-Tage-Woche können von Freitag zu Montag Hausaufgaben erteilt werden." In Baden-Württemberg, Schleswig-Holstein, Sachsen, in der Grundschule in Bremen und im Gymnasium in Bayern können die Schulen selbst ihre Regelungen treffen.

Hausaufgaben an Feiertagen

Ähnliches gilt für die Feiertage: Bayern (außer Gymnasien), Berlin, Brandenburg, Nordrhein-Westfalen, Sachsen-Anhalt, Thüringen erwähnen Feiertage gesondert und sie sind so zu behandeln wie die Sonntage. In den anderen Ländern ist das entweder selbstverständlich oder die Schulen setzen ihre Regelungen selbst.

Nachmittagsunterricht und Hausaufgaben

Auch für Tage mit Nachmittagsunterricht und Ganztagsschulen gibt es in Berlin, Brandenburg, Hamburg, Bremen (nur Sek. I), Hessen, Niedersachsen, Nordrhein-Westfalen, Sachsen-Anhalt, Thüringen Einschränkungen bei den Hausaufgaben, die sicherstellen sollen, dass noch Zeit zur eigenen Gestaltung bleibt.

Hausaufgaben über die Ferien?

Hausaufgaben über die Ferien hinweg sind in keinem Bundesland, das verbindliche Landesregelungen hat, zulässig. Auch über den Sinn der Hausaufgabe selbst darf man seine Zweifel haben. Sollte damit erreicht werden, dass der Inhalt so tief im Langzeitgedächtnis verankert wird, dass er auch noch nach den Ferien mühelos wiederholt werden kann? Das wird sich ein Lehrer oder eine Lehrerin nach den Ferien fragen lassen müssen. In Bayern, Berlin, Brandenburg, Hessen, Mecklenburg-Vorpommern, Niedersachsen, Rheinland-Pfalz, Sachsen (außer Gymnasium), Sachsen-Anhalt, Thüringen werden die Ferien als hausaufgabenfrei erwähnt. In den anderen Ländern ist das entweder selbstverständlich oder von der Schule zu regeln. Der kritische Punkt ist aber auch hier: „über die Ferien" bedeutet streng genommen, vom letzten zum ersten Schultag. Ein Vater ruft empört an. Er will sich vergewissern, dass der Lehrer über die Ferien keine Hausaufgaben aufgeben kann. Die Eltern haben sich verbündet und die Aufgaben nicht erledigen lassen. Der Lehrer besteht darauf. Er hatte die Aufgaben am Mittwoch aufgegeben für den ersten Schultag. Der letzte Schultag war der Donnerstag. Ich musste den Vater enttäuschen. Der Lehrer hatte Recht. Die Hausaufgabe konnten noch am Mittwoch erledigt werden. Ob sie wirklich ihren Zweck erfüllte, darf bezweifelt werden.

Wie lange dürfen die Kinder an Hausaufgaben sitzen?

In Bayern, Berlin, Brandenburg, Niedersachsen, Nordrhein-Westfalen, Rheinland-Pfalz, Sachsen-Anhalt und Thüringen gibt es dazu Zeitangaben. In Bremen und Mecklenburg-Vorpommern nur für die Oberschulen. In Hessen wird auf die altersgemäß angemessene Berücksichtigung von Freizeit verwiesen.

Die Zeitangaben sind in manchen Ländern sehr differenziert nach Klassenstufen in andern pauschal für die Grundschule und die Oberschulen zusammen gefasst. Die Formulieren sind alle so gehalten, das sie einen Spielraum zulassen, weil LehrerInnen auch bei noch so guter Planung der Hausaufgabenmenge nur schätzen können, wie lange die Kinder ungefähr brauchen. Deshalb wird auch niemand sofort Sturm laufen, wenn ein Kind einmal eine Stunde statt 20 Minuten an den Aufgaben gesessen hat. Aber wenn Ihr Kind und vielleicht noch andere aus der Klasse regelmäßig viel länger als verabredet über den Hausaufgaben sitzen, ist es Zeit zu handeln.

In mehreren Länderregelungen (Brandenburg, Hamburg, Hessen, Niedersachsen, Nordrhein-Westfalen und Sachsen-Anhalt) wird ausdrücklich erwähnt, dass Hausaufgaben auch differenziert aufgegeben werden können. Schnelle und/oder leistungsstarke Kinder können demnach andere und/oder mehr Aufgaben bekommen als leistungsschwache bzw. langsamer arbeitende Kinder. Auch dadurch lässt sich die Hausaufgabenzeit in Grenzen halten.

Strafarbeiten als Hausaufgaben – ist das zulässig?

In Berlin, Bremen (nur Sek. I), Hamburg, Nordrhein-Westfalen sowie in Bayern (ausgelaufene Richtlinie) werden Strafarbeiten als Hausaufgaben aus pädagogischen Gründen abgelehnt. In den anderen Ländern geben möglicherweise die Schulordnungen diesbezügliche Hinweise.

Straf- oder Ordnungsmaßnahmen sind aber ein Thema für sich. In Anlehnung an das wichtige Motto: „Hilf mir, es selbst zu tun!", geht es bei Disziplinproblemen doch letztendlich darum, Wege zur Einsicht und Verhaltensänderung zu finden. Kann das durch das Abschreiben der Schulordnung erreicht werden?

Serviceteil

Nützliche Adressen für Deutschland

Adressen der Kultusministerien der Bundesländer

Ministerium für Kultus, Jugend und Sport Baden-Württemberg
Postfach 10 34 42
D-70029 Stuttgart
Deutschland
Telefon: 07 11/27 9-0, oder -28 00
Fax: 07 11/27 9-28 10
E-Mail: poststelle@km.kultusvw.bwl.de
www.kultusministerium.baden-wuerttemberg.de

Bayerisches Staatsministerium für Unterricht und Kultus (StMUK)
Briefpost
D-80327 München
Deutschland
Telefon: 0 89/21 86-0
Fax: 0 89/21 86-2800
E-Mail: poststelle@stmukwk.bayern.de
www.kultusministerium.bayern.de/index1.html

URL der Veröffentlichungslisten:
www.kultusministerium.bayern.de/info/index2.html
Zu dieser Institution gehören
Gutachter-Ausschuss für Schulbibliotheken in Bayern
Staatliche Schulberatung München

Senatsverwaltung für Bildung, Jugend und Sport (Sen BJS) Berlin
Beuthstr. 6-8
D-10117 Berlin
Deutschland
Telefon: 0 30/90 26-7
Fax: 0 30/90 26 5012
E-Mail: briefkasten@senbjs.verwalt-berlin.de
www.senbjs.berlin.de

Ministerium für Bildung, Jugend und Sport (MBJS) des Landes Brandenburg
Postfach 90 01 61
D-14437 Potsdam
Deutschland
Telefon: 03 31/86 6-0
Fax: 03 31/8 66-35 95
E-Mail: poststelle@mbjs.brandenburg.de
www.brandenburg.de/land/mbjs/index.htm

**Senator für Bildung, Wissenschaft
und Kunst Bremen**
Rembertiring 8-12
D-28195 Bremen
Deutschland
Telefon: 04 21/3 61-0
Fax: 04 21/3 61-41 76
E-Mail: webmaster@bremen.de
www.bildung.bremen.de/

**Behörde für Schule, Jugend
und Berufsbildung Hamburg**
Hamburger Str. 31
D-22083 Hamburg
Deutschland
Telefon: 0 40/4 28 63-1
od. 0 40/29 88-0
Fax: 0 40/4 28 63-34 96
od. 0 40/29 88 2 411
E-Mail: christina.renken@bsjb.hamburg.de
www.hamburg.de/Behoerden/bsjb/welcome.htm

Hessisches Kultusministerium (HKM)
Luisenplatz 10
D-65185 Wiesbaden
Deutschland
Telefon: 06 11/3 68-0
Fax: 06 11/3 68-20 96
E-Mail: info@hkm.hessen.de
www.kultusministerium.hessen.de

**Ministerium für Bildung, Wissenschaft und
Kultur (BM) Mecklenburg-Vorpommern**
Postfach
D-19048 Schwerin
Deutschland
Telefon: 03 85/58 8-0
Fax: 03 85/58 8-70 82
E-Mail: presse@kultus-mv.de
www.kultus-mv.de/

Niedersächsisches Kultusministerium
Postfach 161
D-30001 Hannover
Deutschland
Telefon: 05 11/12 0-0
Fax: 05 11/12 0-74 50
E-Mail: poststelle@mk.niedersachsen.de
www.niedersachsen.de/MK1.htm

**Ministerium für Schule, Wissenschaft
und Forschung des Landes
Nordrhein-Westfalen (MSWF)**
Völklinger Straße 49
D-40221 Düsseldorf
Deutschland
Telefon: 02 11/89 6-03 / 04
Fax : 02 11/89 6-32 20 / 45 55
E-Mail: poststelle@mswf.nrw.de
www.mswf.nrw.de/

**Ministerium für Bildung, Wissenschaft und
Weiterbildung (MBWW-RPL) Rheinland-Pfalz**
(Bildung wird seit Mai 2001 hier zugeordnet)
Mittlere Bleiche 61
D-55116 Mainz
Deutschland
Telefon: 0 61 31/16-0 (Durchw. -16)
Fax: 0 61 31/16-29 97
E-Mail: pressedienst@mbww.rpl.de
www.mbww.rpl.de/

**Ministerium für Bildung, Frauen und Jugend
des Landes Rheinland-Pfalz (MBFJ)**
(z.T. noch für Bildung zuständig)
Postfach 32 20
D-55022 Mainz
Deutschland
Telefon: 0 61 31/16-0
Fax: 0 61 31/16 28 78
E-Mail: poststelle@mbfj.rlp.de
www.mkjff.rlp.de/

**Saarländisches Ministerium für Bildung,
Kultur und Wissenschaft**
Postfach 10 24 52
D-66024 Saarbrücken
Deutschland
Telefon: 06 81/5 01 00
Fax: 06 81/5 01 75 00
E-Mail: poststelle@bildung.saarland.de
www.bildung.saarland.de

**Sächsisches Staatsministerium
für Kultus (SMK)**
Postfach 10 09 10
D-01076 Dresden
Deutschland
Telefon: 03 51/5 64-0
Fax: 03 51/5 64-28 87
E-Mail: poststelle@smk.sachsen.de
www.sn.schule.de/smk

**Kultusministerium des Landes
Sachsen-Anhalt**
Postfach 37 80
D-39012 Magdeburg
Deutschland
Telefon: 03 91/56 7–01
Fax: 03 91/56 7–36 95
E-Mail: presse@mk.uni-magdeburg.de
www.mk.sachsen-anhalt.de

**Ministerium für Bildung, Wissenschaft,
Forschung und Kultur
des Landes Schleswig-Holstein MBWFK**
Postfach 1133
D-24100 Kiel
Deutschland
Telefon: 04 31/9 88-0
Fax: 04 31/9 88-58 88
E-Mail: pressestelle@kumi.landsh.de
www.schleswig-holstein.de/landsh/mbwfk

Thüringer Kultusministerium
Postfach 10 04 52
D-99004 Erfurt
Deutschland
Telefon: 03 61/3 79-00
Fax: 03 61/3 79-46 90
E-Mail: tkm@thueringen.de
www.thueringen.de/tkm

Bundeselternrat (BER)
Grantham-Allee 20
53757 St. Augustin
Telefon: 0 22 41/8 65-2 63/-2 64
Fax: 0 22 41/86 52 65
E-Mail: Bundeselternrat@gmx.de
www.bundeselternrat.de
Bundeselternrat Arbeitsgemeinschaft der
16 Landesvereinigungen in der Bundesrepu-
blik Deutschland. Auf der Homepage findet
man aktuelle Informationen, Projekte, Resolu-
tionen, Presseerklärungen und Vorträge. Und
natürlich die Post und Internetadressen der
Elternvereinigungen auf Landesebene.

Internettipps

Zum Thema „Lernen lernen" finden sich im
Internet nützliche Websites:

www.ni.schule.de/~pohl/lernen/index.htm
Kommentierte Fundstellen im WWW zum Thema „Lernen".

www.methode.de
Zahlreiche praktische Tipps und Buchhinweise
zum Thema „Lernen"

Lernsoftware
www.autenrieths.de/links/linklpro.htm
Lernprogramme und Bewertungen

Nachhilfe

www.dbs.schule.de/zeigen.html?seite=792
Deutscher Bildungsserver: Verzeichnis über
Nachhilfe-Institute

www.workshop-zukunft.de/newsletter/2001/08/r_nachhilfe.html

Internetportal für Kinder, Eltern und Lehrende

www.bildungsserver.de
Der deutsche Bildungsserver, eine wahre Fundgrube für Eltern, mit zahlreichen Links zu allen
Fragen von Schule, Unterricht und Bildung.
Außerdem finden sich die Adressen aller
Elternverbände der Bundesländer sowie der
Elternvereinigungen für Kinder mit Behinderungen, für Hochbegabte usw.

Nützliche Adressen für Österreich

Bundesministerium für Bildung, Wissenschaft und Kultur

Abteilung V/4 (Schulpsychologie-
Bildungsberatung)
Freyung 1
A-1014 Wien
Telefon: 01/5 31 20
E-Mail: schulpsychologie@bmbwk.gv.at
www.bmbwk.gv.at

Landesverband Wien der Elternvereine an den öffentlichen Pflichtschulen

Wipplingerstraße 28
1010 Wien
Telefon: 01/4 07 18 99
Fax: 01/4 06 00 85
E-Mail: landesverband.wien@wbn.wien.at
www.elternverband-wien.at

Verband der Elternvereine an höheren Schulen Wiens (AHS, BMHS)

Friedlgasse 53/4
1190 Wien
Telefon: 01/32 82-24
Fax: 01/32 82 31
E-Mail: elternverband@utanet.at
www.elternverband.at
Dachverband der Elternvereine an den Höheren und Mittleren Schulen

Brauchbare Informationen liefern auch die
Schülervertretungen:

Aktion kritische Schülerinnen und Schüler, Bundeskoordination für Österreich

Neustiftgasse 3
1070 Wien
Telefon: 01/5 23 12 43
Fax: 01/5 23 13 43-85
E-Mail: aks@aks.at
www.aks.at

Österreichische Schülerunion

Lichtenfelsgasse 7
1010 Wien
Telefon: 01/4 06 58 40
Fax: 01/4 06 58 33
E-Mail: service@schuelerunion.at
www.schuelerunion.at

Österreichischer Familienbund

Generalsekretariat
Maria Theresia Straße 12
A-3100 St. Pölten
Telefon 0 27 42 /77 30 4
Fax 0 27 42 /7 73 04-20
E-Mail: gs@familienbund.at
www.familienbund.at

Nützliche Adressen für die Schweiz

www.elternweb.at
Eine österreichische Webseite mit
Hilfen speziell für Eltern

www.elternforum.at
Informations- und Kommunikations-
plattform für Eltern

**Schulpsychologie-Bildungsberatung
Wien**
www.magwien.gv.at/ssr/abt5/verz1/i
ndex.htm

www.schulpsychologie.at

**Schweizerische Vereinigung der
Elternorganisationen SVEO**
Sekretariat
Fliederstraße 9
8908 Hedingen
Telefon: 01/7 61 83 23
Fax: 01/761 83 42
E-Mail: sveo@rat.ch
www.sveo.rat.ch

**Verband SKJP
Schweizerische Vereinigung für
Kinder- und Jugendpsychologie**
Hauptgasse 35
Postfach 1029
CH-4500 Solothurn
Telefon: 0 41/32 6 21 30 30
Fax: 0 41/32 6 21 30 38
E-Mail: info@skjp
www.skjp.ch

www.schule-elternhaus.ch
Die deutschschweizer Elternorgani-
sation S&E engagiert sich für eine
konstruktive Zusammenarbeit zwischen Eltern, Lehrpersonen und
Schulbehörden.

www.schule-online.ch

www.schulnetz.ch